Llygad-dyst

YR AIL RYFEL BYD

D1550009

Cardiff Libraries
www.cardiff.gov.uk/libraries

Llyfrgelloedd Caerdydd
www.caerdydd.gov.uk/llyfrgelloedd

ACC. No: 02987279

Llong danfor un-dyn

Mwgwd nwy "*Mickey Mouse*" i blentyn

Bathodyn Seren Dafydd

Emblem genedlaethol yr Almaen, cyfnod Hitler

Bathodyn llawes *US Strategic Air Forces*

Secstant morwrol Japaneaidd

Symbol Gwladwriaeth Vichy, Ffrainc, 1940-44

Gwn 25-pwys Prydeinig

Medal Bwylaidd

Llygad-dyst
YR AIL RYFEL BYD

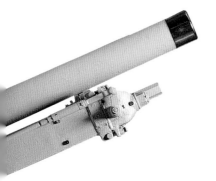

Medal Sofietaidd

Ysgrifennwyd gan
SIMON ADAMS

Ffotograffwyd gan
ANDY CRAWFORD

Addasiad
SIÂN LEWIS

RILY

GYDA CHYDWEITHREDIAD
AMGUEDDFA RYFEL YR YMERODRAETH
(THE IMPERIAL WAR MUSEUM)

Pistol Beretta,
eiddo rhaglaw
Eidalaidd
Ethiopia

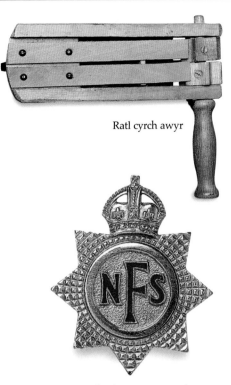

Ratl cyrch awyr

Golygydd prosiect Melanie Halton
Uwch-olygydd celf Jane Tetzlaff
Golygydd celf Ann Cannings
Golygydd cynorthwyol Jayne Miller
Rheolwr-olygydd Sue Grabham
Uwch-reolwr olygydd celf Julia Harris
Ffotograffau ychwanegol Steve Gorton
Cynhyrchu Kate Oliver
Ymchwil lluniau Mollie Gillard
Uwch-ddylunydd DTP Andrew O'Brien

Yr argraffiad hwn:
Golygydd Sue Nicholson
Rheolwr-olygydd Camilla Hallinan
Rheolwr-olygydd celf Martin Wilson
Rheolwr cyhoeddi Sunita Gahir
Cyhoeddwr categori Andrea Pinnington
Golygyddion cynhyrchu Andy Hilliard,
Laragh Kedwell, Hitesh Patel
Rheolwr cynhyrchu Georgina Hayworth

Bathodyn y gwasanaeth
tân Prydeinig

Crëwyd yr Eyewitness ® Guide hwn gan
Dorling Kindersley Limited ac Editions Gallimard

Cyhoeddwyd gyntaf yn Saesneg ym Mhrydain yn 2000
o dan y teitl *Eyewitness World War II*
Cyhoeddwyd yr argraffiad diwygiedig hwn yn 2007
gan Dorling Kindersley Limited,
80 Strand, London WC2R 0RL

Hawlfraint © 2000, © 2004, © 2007 Dorling Kindersley Limited
A Penguin Company

Cyhoeddwyd gyntaf yn Gymraeg gan Rily Cyf,
Blwch Post 20, Hengoed CF82 7YR.

Addasiad Cymraeg gan Siân Lewis

Hawlfraint yr addasiad Cymraeg © 2015 Rily Cyf.

ISBN 978-1-84967-208-5

Argraffwyd yn China

Ariennir yn rhannol gan Lywodraeth Cymru
fel rhan o'i rhaglen gomisiynu adnoddau addysgu
a dysgu Cymraeg a dwyieithog

Model o fanerwr Almaenig

Esgidiau gwellt a wnaed gan
filwyr Almaenig yn Rwsia

Ariennir yn Rhannol gan
Lywodraeth Cymru
Part Funded by
Welsh Government

Ffrwydryn traeth
Prydeinig

Baner weddi Japaneaidd

Cynnwys

Gêm gardiau
"Faciwîs"

Byd rhanedig

Morthwyl

Daeth y Comiwnyddion i rym yn Rwsia yn 1917, a ffurfio'r Undeb Sofietaidd. Roedden nhw'n gwrthwynebu hawl unigolion i berchenogi eiddo a busnes. Roedd llawer o wledydd yn amheus iawn o'r wlad a'i harweinydd, Stalin, ac yn gwrthod cefnogi'i syniadau.

Cryman

SYMBOL SOFIETAIDD
Ar y bathodyn cap hwn mae morthwyl a chryman, symbol yr Undeb Sofietaidd a oedd hefyd ar y faner genedlaethol. Roedd y morthwyl yn cynrychioli'r gweithwyr diwydiannol, a'r cryman yn cynrychioli'r gwerinwyr (gweithwyr fferm).

Pobl ifainc cryf a hardd, mewn dur gloyw

Cerflun Gweithiwr a Gwerinwraig a wnaed gan Vera Mukhina ar gyfer y pafiliwn Sofietaidd yn Ffair y Byd, Paris, 1937

ERBYN 1934, roedd y byd wedi rhannu'n dair prif garfan wleidyddol. Yn y gyntaf, roedd y gwledydd democrataidd, lle roedd y bobl yn ethol y llywodraeth – gan gynnwys Prydain, Ffrainc, yr Iseldiroedd a Gwlad Belg, Sweden, Tsiecoslofacia, ac UDA. Yn yr ail roedd y gwledydd a reolid gan unbeniaid pwerus – gwledydd ffasgaidd yr Eidal a Sbaen, yr Almaen Natsïaidd, Japan genedlaetholaidd, a gwledydd un-blaid dwyrain Ewrop. Dim ond un wlad oedd yn y drydedd garfan, sef yr Undeb Sofietaidd – gwlad gomiwnyddol gynta'r byd, lle roedd y gweithwyr i fod i reoli'r wlad. Mewn gwirionedd yr arweinydd gormesol, Josef Stalin (1879–1953), oedd yn rheoli. Roedd gan y tair carfan syniadau gwahanol ynglŷn â pherchen tir a chyfoeth economaidd. Dyna achosodd y rhyfel byd a gychwynnodd yn 1939.

FFASGAETH YN LLEDU
Yn 1922 daeth Benito Mussolini (1883-1945) i rym yn yr Eidal, a'i throi'n wlad ffasgaidd. Erbyn yr 1930au, roedd gan Sbaen, Portiwgal, Awstria a Romania lywodraethau ffasgaidd, ond doedd unman mor eithafol â'r Almaen lle roedd y Blaid Natsïaidd mewn grym.

Gorymdaith Ffasgiaid Ifanc yr Eidal

Arfbais frenhinol ag ymyl las

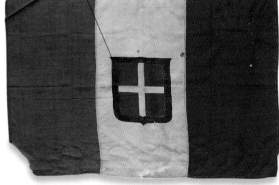

FFASGAETH YR EIDAL
Symbol ffasgiaid yr Eidal oedd y "fasces" – y bwndel o wialenni a oedd yn arwydd o rym yr hen Rufain. Ond drwy gydol cyfnod Mussolini, roedd y brenin Victor Emmanuel III yn dal i deyrnasu, ac roedd ei arfbais (uchod) ar faner y wlad.

Iwnifform Byddin
Ymerodrol Japan,
tua'r 1930au

SYMBOL Y NATSÏAID
Hen symbol crefyddol yw'r swastica.
Mae'n gyffredin iawn yng Ngwlad
Groeg, ac mewn temlau Hindŵaidd yn
India. Mabwysiadodd Adolf Hitler
(1889-1945) y swastica fel symbol y Blaid
Natsïaidd. Yn 1935 daeth yr arwydd
trawiadol du, ar gefndir gwyn a choch, yn
faner genedlaethol yr Almaen.

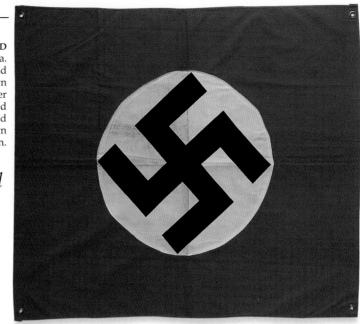

*"Ar ôl 15 mlynedd
o anobaith, mae
cenedl fawr ar
ei thraed
unwaith eto."*

ADOLF HITLER, 1933

*Bocs ar gyfer
copi anrheg
o* Mein Kampf

*Llyfr aelodaeth
y Blaid Natsïaidd*

JAPAN YMERODROL
Yn ystod y Rhyfel Byd Cyntaf, ymladdodd Japan
o blaid Prydain, Ffrainc, a'r UDA, ond er ei siom,
yn dilyn y cytundeb heddwch, chafodd hi fawr
o diroedd. Yn yr 1920au, daeth y llywodraeth dan
reolaeth nifer o genedlaetholwyr eithafol, ynghyd
â'r fyddin, a ddymunai wneud y wlad yn
ymerodraeth gref yn Asia.

CYNLLUNIAU HITLER
Yn 1924, pan oedd Hitler mewn carchar am geisio
dymchwel llywodraeth yr Almaen, fe sgrifennodd
Mein Kampf (Fy Mrwydr). Pwysleisiodd fod yn rhaid i'r
Almaen gael arweinydd cryf, byddin fawr, economi
hunangynhaliol, cael gwared ar gomiwnyddiaeth, a difa'r
Iddewon. Dyna'n amlwg oedd ei gynlluniau, pe bai'n
dod i rym, ond chymerodd neb sylw ar y pryd.

Y BLAID NATSÏAIDD
Hitler oedd arweinydd Plaid
Genedlaethol Sosialaidd Gweithwyr
yr Almaen (y Blaid Natsïaidd),
a sefydlwyd yn 1920. Credai'r
Natsïaid mai Ariaid Almaenig (gwyn â gwallt
golau) oedd yr hil oruchaf, ac roedden
nhw am adfer grym yr Almaen.

RALÏAU NATSÏAIDD
Trefnai'r Natsïaid ralïau
enfawr yn yr awyr agored,
lle cariai'r aelodau faneri
a gwrando ar areithiau gan
Hitler a Natsïaid pwysig
eraill. Ar ôl i'r Blaid
Natsïaidd ddod i rym yn yr
Almaen yn 1933, fe
gynhaliai ei phrif rali bob
blwyddyn yn Nuremberg,
yn ne'r Almaen. Roedd rali
o'r fath yn dangos grym
a phenderfyniad y Natsïaid,
yn ogystal â dylanwad
enfawr Hitler ar ei blaid.

Natsïaid yn Rali
Nuremberg, 1935

Rhyfel yn agosáu

YN 1933, DAETH PLAID NATSÏAIDD Adolf Hitler i rym yn yr Almaen, a dechrau cryfhau lluoedd arfog y wlad. Ar ddiwedd y Rhyfel Byd Cyntaf, gwaharddwyd yr Almaen rhag cadw milwyr yn y Rheindir, ardal ddiwydiannol ger y ffin â Ffrainc a Gwlad Belg. Symudodd Hitler ei luoedd yn ôl yno yn 1936, yna fe gipiodd Awstria a rhannau o Tsiecoslofacia yn 1938. Yn y cyfamser, roedd yr Eidal yn cynyddu'i dylanwad yn y Môr Canoldir a Gogledd Affrica, a goresgynnodd Japan China yn 1937. Closiodd yr Almaen, yr Eidal a Japan at ei gilydd. Ar y dechrau, gwnaeth Ffrainc a Prydain eu gorau i ddyhuddo (tawelu) y gwledydd ymosodol hyn. Ond, erbyn diwedd yr 1930au, roedd y ddwy wlad hon yn ailarfogi eu lluoedd. Er ei bod yn niwtral, roedd UDA yn poeni am ddylanwad cynyddol Japan yn y Môr Tawel. Ugain mlynedd ar ôl y Rhyfel Byd Cyntaf, roedd y byd yn paratoi am ryfel unwaith eto.

CYTUNDEB VERSAILLES
Ar ôl colli'r Rhyfel Byd Cyntaf, gorfodwyd yr Almaen i arwyddo Cytundeb Versailles yn 1919. Collodd yr Almaen ei hymerodraeth dramor, yn ogystal â thiroedd, i'w chymdogion, ac fe'i gwaharddwyd rhag cadw byddin fawr. Roedd yr Almaenwyr, gan mwyaf, yn gwrthwynebu'r cytundeb, ac yn cytuno â safiad Hitler yn ei erbyn.

HELYNT YNG NGOGLEDD AFFRICA
Goresgynnodd yr Eidal Ethiopia (Abyssinia), yn 1935. Alltudiwyd ei llywodraethwr, yr ymerawdwr Haile Selassie, 1891-1975, (ar y dde). Bwriadai Mussolini, arweinydd yr Eidal, sefydlu Ymerodraeth Rufeinig newydd yng Ngogledd Affrica, a gwneud y Môr Canoldir yn "llyn Eidalaidd". Ymestynnodd yr Eidal ei rheolaeth dros Libya, ac yn 1939, dros Albania.

JAPAN YN GORESGYN CHINA
Ar ôl meddiannu talaith Manchuria, China, yn 1932, dechreuodd Japan ailarfogi ar raddfa enfawr. Yn 1937, ymosododd ar China gyfan, gan gipio'r brifddinas, Nanking, a rhan helaeth o'r arfordir.

DAU UNBEN
Ar y dechrau, roedd arweinydd yr Eidal, Mussolini (chwith) yn elyniaethus tuag at Hitler (de) a'r Almaen Natsïaidd, am fod Hitler eisiau meddiannu Awstria, ar ffin ogleddol yr Eidal. O dipyn i beth, fe glosiodd y ddwy wlad. Yn 1936 ffurfiwyd partneriaeth – *Axis* Rhufain-Berlin – ac yn nes ymlaen daeth Japan yn rhan ohoni. Yn 1939, arwyddodd yr Eidal a'r Almaen gytundeb ffurfiol, y Cytundeb Dur, gan ymladd ochr yn ochr ym mlynyddoedd cynnar y rhyfel.

HITLER YN MEDDIANNU AWSTRIA
Ym Mawrth 1938, aeth Hitler â'i luoedd i Awstria a chyhoeddi *Anschluss*, neu undeb, rhwng y ddwy wlad. Roedd Hitler wedi torri Cytundeb Versailles, a oedd yn gwahardd yr Almaen rhag uno â'r wlad. Roedd y mwyafrif o Awstriaid yn croesawu'r undeb, er bod llawer o'r gwledydd cyfagos yn anniddig.

PRYDAIN A FFRAINC YN CYTUNO
Roedd cysylltiad agos rhwng Ffrainc a Phrydain yn 1938, fel y dengys yr ymweliad swyddogol hwn â Ffrainc gan y Brenin George VI (chwith) a'r Frenhines Elizabeth. Yn ddistaw bach, roedd y ddwy wlad yn dychryn wrth weld grym yr Almaen a'r Eidal yn cynyddu. Yn 1939, pan oedd rhyfel bron yn anorfod, cytunodd Ffrainc a Phrydain i helpu Gwlad Pwyl, Romania, a Groeg i warchod eu hannibyniaeth, pe bai'r Almaen neu'r Eidal yn ymosod.

CYNNIG HEDDWCH
Croesawyd Neville Chamberlain, Prif Weinidog Prydain, gan dyrfaoedd ym Munich yn 1938. I geisio tawelu'r sefyllfa, roedd arweinwyr Ewropeaidd wedi cytuno i gymodi â Hitler. Arwyddwyd Cytundeb Munich a oedd yn caniatáu i Almaenwyr yn ardal Sudeten, Tsiecoslofacia, uno â'r Almaen. Gwrthwynebodd y Tsieciaid, ond dywedodd Chamberlain y byddai'r trefniant yn sicrhau "heddwch yn ein hoes". Chwe mis yn ddiweddarach, goresgynnodd Hitler weddill Tsiecoslofacia.

GORESGYN GWLAD PWYL
Dyma lun milwyr yr Almaen yn chwalu pyst ar ffin Gwlad Pwyl yn 1939. Roedd Hitler wedi mynnu fod y Pwyliaid yn ildio'r Coridor Pwylaidd, sef llain denau o dir a wahanai Ddwyrain Prwsia oddi wrth weddill yr Almaen. Cipiwyd y tir ar 1 Medi. Roedd Prydain a Ffrainc wedi cytuno i helpu'r Pwyliaid, felly ar 3 Medi fe gyhoeddon nhw ryfel ar yr Almaen. Dyna ddechrau'r Ail Ryfel Byd.

Disgwyl y gwaethaf

RATL YN RHYBUDDIO
Dosbarthwyd ratls pren, a ddefnyddid fel arfer i ddychryn adar o'r caeau ŷd, i batrolau'r ARP (British Air Raid Precautions), gyda'r bwriad o rybuddio rhag ymosodiadau nwy. Roedd y sŵn uchel yn help i yrru'r bobl i'r llochesau cyrch awyr.

WRTH I RYFEL AGOSÁU rhwng 1938 ac 1939, dechreuodd Prydain, Ffrainc, yr Almaen a'r Eidal baratoi. Gwnaed cynlluniau i ddogni bwyd a nwyddau crai angenrheidiol. Roedd Ffrainc eisoes wedi sefydlu Llinell Maginot, a adeiladwyd (1929-34) i warchod rhag ymosodiad gan yr Almaen. Gwnaeth Llywodraeth Prydain drefniadau manwl i warchod ei phobl rhag y bomiau fyddai'n siŵr o ddisgyn yn fuan ar Lundain a dinasoedd eraill. Cloddiwyd llochesau mewn parciau a strydoedd, a dosbarthwyd mygydau nwy. Cynlluniwyd i symud miloedd o blant o'r dinasoedd i ardaloedd gwledig. Gweithredwyd nifer o'r cynlluniau hyn ar ddechrau'r rhyfel ym Medi 1939, ond doedd dim galw mawr amdanyn nhw nes i'r Almaen oresgyn Sgandinafia, yr Iseldiroedd, a Ffrainc, yn Ebrill a Mai 1940.

GWARCHOD EICH GWLAD
Ychydig cyn diwedd y rhyfel, cafodd dynion Almaenig rhwng 16 a 60 oed, nad oedd yn ymladd, eu galw i'r Volkssturm (Y Gwarchodlu Cartref). Fel y Gwarchodlu Cartref Prydeinig (Home Guard), a ffurfiwyd ym Mai 1940, chawson nhw fawr o iwnifformau, hyfforddiant nac arfau.

Milwyr ac arfau ar drên tanddaearol Maginot

AMDDIFFYN FFRAINC
Prif amddiffynfa Ffrainc oedd Llinell Maginot. Fe gymerodd 5 mlynedd i'w hadeiladu ac ymestynnai ar hyd y ffin rhwng Ffrainc a'r Almaen, o Luxembourg yn y gogledd i'r Swistir yn y de. Ar hyd y llinell roedd amddiffynfeydd rhag tanciau, llochesau gwrth-fomiau i'r gynnau mawr, a cheiri cryf. Roedd rheilffyrdd tanddaearol yn cysylltu llawer ohonynt.

Bom mortar mewn tun

Grenâd potel win

Mwgwd nwy Almaenig

ARFAU CARTREF
Doedd gan y Gwarchodlu Cartref Prydeinig fawr o arfau. Weithiau defnyddient duniau i wneud bomiau mortar, a photeli i wneud bomiau petrol a grenadau. Gwirfoddolwyr oedd yr aelodau, a'u gwaith oedd gwarchod amddiffynfeydd pwysig, a gwylio am ysbiwyr y gelyn.

MYGYDAU NWY
Yn Mhrydain cafodd pawb fwgwd nwy. Yn yr Almaen dim ond y rhai a ystyrid mewn perygl arbennig – plant, wardeniaid cyrch awyr, a swyddogion y Blaid Natsïaidd – gâi fwgwd. Fel mae'n digwydd, doedd dim angen mygydau, achos ddefnyddiodd neb nwy.

Ffiltr nwy

Der Feind sieht Dein Licht!

Verdunkeln!

CUDDIO GOLAU
"Mae'r gelyn yn gweld dy olau! Tywylla!" Mae'r poster Almaenig hwn yn gorchymyn sifiliaid i guddio'u goleuadau yn y nos rhag ofn iddyn nhw dynnu sylw awyrennau bomio'r gelyn. O ddechrau'r rhyfel, roedd y "blac-owt" yn orfodol yn yr Almaen a Phrydain.

BALŴN AMDDIFFYN
Roedd balwnau enfawr yn gwarchod prif ddinasoedd a threfi Prydain rhag cyrchoedd awyr. Câi'r balwnau eu lansio cyn cyrch. Hongiai rhwydwaith o gadwyni dur oddi tanyn nhw, gan orfodi awyrennau'r gelyn i hedfan yn uwch. O ganlyniad fedrai'r bomwyr ddim anelu mor fanwl.

LLOCHESAU CYRCH AWYR
Yn ninasoedd Prydain, roedd pawb, bron iawn, yn codi lloches Anderson yn eu gardd. Twnnel o haearn rhychog wedi'i osod yn y ddaear a'i orchuddio â phridd oedd yr Anderson. Yn Chwefror 1941, darparwyd lloches Morrison (cawell dur i'w ddefnyddio yn y tŷ) i rai heb ardd.

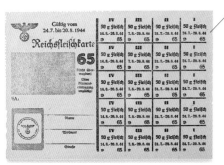

Cerdyn dogni Almaenig

DOGNI NWYDDAU
Ar ddechrau'r rhyfel rhoddwyd bwyd a phetrol ar ddogn yn yr Almaen. I lawer o dlodion, roedd y bwyd a gynigid yn fwy iach ac amrywiol na'r bwyd a gawsent gynt. Ond, yn 1943, gwaethygodd y dogni.

AMDDIFFYN TRAETH
Plannwyd ffrwydrynnau ar rai o draethau de Prydain a gogledd Ffrainc. Y bwriad oedd achosi niwed difrifol i unrhyw ymosodwyr.

Ffrwydryn traeth Prydeinig

Taro fel mellten

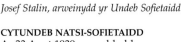

Joachim von Ribbentrop, gweinidog tramor yr Almaen

Vyacheslav Molotov, gweinidog tramor y Sofietiaid

Josef Stalin, arweinydd yr Undeb Sofietaidd

CYTUNDEB NATSI-SOFIETAIDD
Ar 23 Awst 1939, arwyddodd gweinidogion tramor yr Undeb Sofietaidd a'r Almaen gytundeb i beidio ag ymosod ar ei gilydd. O ganlyniad gallai'r Almaen ymosod ar Wlad Pwyl a gorllewin Ewrop heb i'r Sofietiaid ymyrryd. Mewn cyfarfod arall ar 28 Medi (gweler y llun), trefnwyd i rannu Gwlad Pwyl rhyngddynt.

"BLITZKRIEG" sef "rhyfel mellten" oedd enw'r Almaenwyr am dechneg filwrol effeithiol iawn a ddefnyddiwyd ganddynt ym mlynyddoedd cynnar y Rhyfel. Byddai lluoedd arfog Panzer yn ymosod yn gyflym a ffyrnig ar diroedd y gelyn, yna byddai'r troedfilwyr arafach yn eu dilyn ac yn gorffen y gwaith. Yn aml iawn doedd gan y gelyn ddim amser i baratoi, gan fod yr ymosodiadau mor sydyn. Pan lethwyd Gwlad Pwyl gan ymosodiadau Blitzkrieg ym Medi 1939, cyhoeddodd Prydain a Ffrainc ryfel ar yr Almaen. Rhwng Mai a Mehefin 1940, gorchfygodd yr Almaen Ffrainc, yr Iseldiroedd, Luxembourg a Gwlad Belg, er bod ganddi lai o danciau a milwyr yng ngorllewin Ewrop na Phrydain, Ffrainc a Belg gyda'i gilydd. Serch hynny, roedd ei llu awyr yn gryfach. Drwy gynllunio'n fedrus, ymosod yn gyflym, a thargedu'i gynnau'n fanwl, roedd yr Almaen wedi ennill y dydd yn y gorllewin erbyn Mehefin 1940.

Bom yn disgyn

Papur newydd Prydeinig yn cyhoeddi dechrau'r Rhyfel

CYHOEDDI RHYFEL
Cyhoeddodd Prydain a Ffrainc ryfel ar yr Almaen ar 3 Medi 1939. Golygai hyn fod eu trefedigaethau mawr tramor yn ymladd hefyd. Dewis aros yn niwtral wnaeth llawer o wledydd Ewropeaidd, gan gynnwys Iwerddon, y Swistir, Sbaen a Phortiwgal, yn ogystal ag UDA.

BEICIAU MODUR
Defnyddiai'r milwyr Panzer feiciau modur â cheir ochr i'w cludo'n gyflym i diroedd y gelyn cyn y brif fyddin. Roedd eu hymosodiadau'n annisgwyl ac yn llwyddiannus iawn.

YMOSODIAD PANZER
Y tanciau oedd yn bennaf gyfrifol am lwyddiant y Blitzkrieg (daw'r llun o'r ffilm, Blitzkrieg), gyda chefnogaeth yr awyrennau bomio. Yn aml roedd safleoedd y gelyn wedi'u dinstrio'n llwyr cyn i'r troedfilwyr gyrraedd.

PLYMIO A BOMIO
Y plymfomiwr, Junkers Ju87
(Stuka), oedd prif awyren
y Blitzkrieg. Wrth i'r awyren Stuka
blymio o'r awyr, byddai seiren ar
yr awyren yn sgrechian, y bobl yn
dychryn, a'r bomiau'n disgyn.

Grenâd
llaw

GRENADAU
Byddai troedfilwyr yr
Almaen yn taflu grenadau
llaw a ffon wrth ymosod.
Y bwriad oedd lladd
milwyr y gelyn a chael
gwared o'r saethwyr
cudd oedd yn yr
adeiladau.

Grenâd
ffon

CIPIO FFRAINC
Dyma lun o Calais ar ôl ymosodiad
Blitzkrieg. Dioddefodd gogledd
Ffrainc gymaint o ddifrod, fe syrthiodd
y wlad ymhen chwech wythnos,
a gorchfygwyd ei byddin.

GORESGYN YR ISELDIROEDD
Ym Mai 1940, llifodd milwyr
Almaenig arfog iawn dros y ffin
i Wlad Belg, Luxembourg
a'r Iseldiroedd. Boddodd yr
Iseldirwyr rannau helaeth
o'u gwlad i geisio arafu'r
Almaenwyr. Ond
fedrai'u byddin
ddim cystadlu â'r
Almaenwyr,
ac fe ildiodd
ymhen 4
diwrnod.
Ildiodd Belg a
Luxembourg
yn fuan
wedyn.

*Grenâd ffon
yn yr esgid
lle mae'n
hawdd cael
gafael arno*

Dan law'r gelyn

AR DRAWS EWROP, roedd ymateb y bobl leol i'r goresgynwyr Almaenig yn amrywio. Ymunodd rhai â'r gwrthsafiad (i ddifetha cynlluniau'r Almaenwyr), neu wrthod cydweithio â'r goresgynwyr. Roedd eraill yn barod iawn i gydweithio, yn falch fod yr Almaenwyr yn eu hamddiffyn rhag comiwnyddiaeth, ac yn cefnogi'u gwrthwynebiad i'r Iddewon. Doedd gan fwyafrif y bobl, fodd bynnag, ddim dewis ond derbyn y sefyllfa'n dawel. Yn Ffrainc a Norwy, fe gydweithiodd y llywodraeth â'r Almaenwyr. Vidkun Quisling oedd arweinydd pro-Almaenig Norwy, a defnyddir yr enw "quisling" o hyd i olygu "bradwr". Ond ffodd arweinwyr Gwlad Pwyl, Tsiecoslofacia, yr Iseldiroedd, Luxembourg, Groeg ac Iwgoslafia i Lundain, a ffurfio llywodraethau alltud. Arhosodd Leopold, brenin Belg, yn garcharor yn ei wlad, ac arhosodd Christian X, a'i lywodraeth, yn Nenmarc, ond heb gydweithio fawr ddim. Yr Almaenwyr oedd yn rheoli pob un o'r gwledydd hyn.

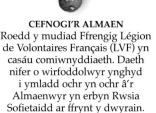

Clustffon

Plac yr LVF

CEFNOGI'R ALMAEN
Roedd y mudiad Ffrengig Légion de Volontaires Français (LVF) yn casáu comiwnyddiaeth. Daeth nifer o wirfoddolwyr ynghyd i ymladd ochr yn ochr â'r Almaenwyr yn erbyn Rwsia Sofietaidd ar ffrynt y dwyrain.

Hitler ym Mharis naw diwrnod ar ôl i'r Natsïaid gipio'r ddinas

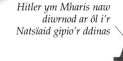

HITLER YM MHARIS
Aeth lluoedd yr Almaen i mewn i Baris yn ddi-wrthwynebiad ar 14 Mehefin 1940, ar ôl cyrch a barodd am ychydig dros fis. Cyn hynny, llwyddodd dwy filiwn o'r dinasyddion i ddianc. Er cymaint y sioc, aeth bywyd yn ei flaen yn weddol dawel, a'r swyddogion Almaenig yn cymysgu â'r bobl leol.

Derbynnydd radio a adeiladwyd gan deulu o'r Iseldiroedd

RADIO DIRGEL
Yn cuddio yn y tun hwn mae radio a ddefnyddiai teulu o'r Iseldiroedd i wrando ar y BBC. Roedd y darllediadau'n cynnwys newyddion am y rhyfel, negeseuon o Lundain oddi wrth deulu brenhinol yr Iseldiroedd, a negeseuon mewn cod i ysbiwyr. Ar ôl concro gwlad, byddai'r Almaenwyr fel arfer yn gwahardd y bobl rhag cael radio. Serch hynny roedd rhai'n adeiladu teclyn ac yn gwrando yn ddirgel.

Eillio gwallt gwraig a gydweithiodd â'r Almaenwyr

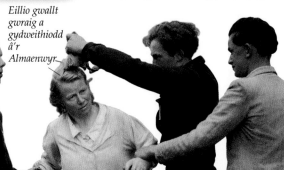

Y CYDWEITHREDWYR
Ar draws Ewrop roedd llawer o bobl yn cydweithio â'r Almaenwyr. Fe fradychodd rh eu cymdogion am gefnogi'r gwrthsafiad, ac fe ddatgelod eraill wybodaeth. Bu rhai gwragedd yn byw gyda swyddogion Almaenig. Ar ddiwedd y rhyfel, cosbwyd ambell un gan y bobl leol. Fe'u curwyd, neu eu saethu, neu eillio gwallt y gwragedd.

Bathodyn llabed yn dangos bwyell ddeuben Gwladwriaeth Vichy

SYMBOLAU NEWYDD

Yng nghyfnod llywodraeth Vichy, cyfnewidiwyd nifer o symbolau Ffrainc Weriniaethol am symbolau Vichy, gan gynnwys y fwyell ddeuben, ac yn enwedig lluniau o'r Marsial Pétain.

Baner Croes St Siôr Lloegr

REVOLUTION NATIONALE

YMGYRCH DYNAMO

Rhwng 26 Mai a 4 Mehefin 1940, achubwyd 338,226 o filwyr o draethau Dunkirk, Ffrainc, yn ystod Ymgyrch Dynamo. Wrth i fyddin yr Almaen ruthro drwy ogledd Ffrainc tuag at y Sianel, fe gafodd y fyddin Brydeinig a rhan helaeth o fyddin Ffrainc eu dal mewn trap. Hwyliodd fflyd o longau Prydain, Ffrainc, yr Iseldiroedd a Belg, yn ôl ac ymlaen ar draws y Sianel i'w hachub. Gadawyd yr offer i gyd ar ôl. Roedd brwydr Ffrainc yn golled enfawr i'r fyddin Brydeinig, ond roedd y ffaith fod cymaint wedi'u hachub yn codi'r galon ar adeg beryglus iawn.

FFRAINC VICHY

Cytunodd arweinydd Ffrainc, y Marsial Pétain, ar gadoediad rhwng Ffrainc a'r Almaen ar 21 Mehefin 1940. Cytunwyd fod yr Almaen yn meddiannu gogledd a gorllewin Ffrainc. Pétain oedd arweinydd pypedwladwriaeth (un oedd i fod yn annibynnol, ond mewn gwirionedd yn cael ei rheoli gan yr Almaen), yn nhref Vichy yn y de. Cydweithiodd llywodraeth Vichy â'r Almaenwyr, gan yrru Iddewon o'r wlad a chyflenwi nwyddau. Yn Nhachwedd 1942, daeth dan reolaeth yr Almaenwyr a syrthiodd y wladwriaeth yn Awst 1944.

CWCH ACHUB

Tamzine 4.4 m (14 tr) oedd y cwch lleiaf i gymryd rhan yn Ymgyrch Dynamo. Roedd yn un o 900 o gwch, yn amrywio o ddistrywlongau i gychod pysgota a phleser. Cludodd Tamzine sawl dyn o'r traeth i'r llongau mawr, cyn cael ei dynnu'n ôl i Loegr gan gwch pysgota Felgaidd.

TAMZINE

Tamzine, y cwch lleiaf i groesi'r Sianel yn ystod Ymgyrch Dynamo

DANGOS CEFNOGAETH
Gwisgai grwpiau gwrthsefyll fandiau braich er mwyn adnabod ei gilydd. Cartreflu Pwyl biau'r band hwn. Ffurfiwyd y grŵp yn 1942 i ymladd yr Almaenwyr oedd yn rheoli'r wlad. Bu gwrthryfel aflwyddiannus yn Warsaw yn Awst 1944.

LLIW RHYDDID
Roedd grwpiau gwrthsefyll yr Iseldiroedd yn effeithiol iawn, gan roi lloches i'r Iddewon a'u cefnogi. Hefyd fe helpon nhw beilotiaid y Cynghreiriaid a'u criwiau.

LLUOEDD FFRAINC RYDD
Pan oresgynnwyd Ffrainc, ffodd y Cadfridog Charles de Gaulle i Lundain. Ar 18 Mehefin 1940, apeliodd ar y radio am bobl i ymuno â'r frwydr dros Ffrainc Rydd.

YSBÏO AR Y GELYN
Yn Nenmarc, cynyddodd y gwrthwynebiad i'r Almaenwyr wrth i'r sefyllfa waethygu o fewn y wlad. Erbyn 1943, roedd llawer yn ysbïo dros Brydain, ac yn ymosod ar eiddo'r Almaenwyr.

Gwrthsafiad

AR Y DECHRAU roedd ymateb pobl Ewrop i'r goresgynwyr yn ddi-drefn ac aneffeithiol. Ychydig iawn o ymladd fu, ond fe fentrodd nifer o unigolion dewr eu bywydau drwy helpu milwyr y Cynghreiriaid i ddianc, neu roi lloches i Iddewon. Ond o dipyn i beth ffurfiwyd grwpiau trefnus, a gâi arfau a gwybodaeth gan Brydain. Hefyd cafodd rhai grwpiau Comiwnyddol yn nwyrain Ewrop rywfaint o help gan yr Undeb Sofietaidd ar ôl 1941. Wrth i'r Almaenwyr fynd yn fwy creulon, gan orfodi pobl i weithio ar eu rhan, a charcharu Iddewon, Slafiaid a phobl eraill a ystyrient yn "is-ddynol", dechreuodd mwy a mwy droi yn eu herbyn. Erbyn i'r gwledydd gael eu rhyddhau yn 1944–45, roedd grwpiau o bartisaniaid yn ymladd ochr yn ochr â lluoedd Prydain, UDA a'r Undeb Sofietaidd.

CHRISTIAN X
Pan oresgynnodd yr Almaen Ddenmarc ar 9 Ebrill 1940, arhosodd y Brenin Christian X (1870–1949) yn ei wlad, yn wahanol i lawer o frenhinoedd eraill. Ceisiodd llywodraeth Denmarc osgoi cydweithio â'r Almaen, a llwyddwyd i helpu mwyafrif yr 8,000 o Iddewon yn y wlad i ddianc i Sweden niwtral.

Stamp go iawn

Stamp ffug

BETH SY'N WAHANOL?
Roedd cysylltu drwy'r post yn beryglus. Cipiodd yr Almaenwyr lythyron y Gwrthsafiad Ffrengig a gyrru rhai ffug yn eu lle. O ganlyniad darganfuwyd rhai o'r aelodau a'u lladd. Printiodd Gwasanaeth Cudd-Ymchwil Prydain stampiau Ffrengig fymryn yn wahanol, er mwyn i aelodau'r Gwrthsafiad allu adnabod y llythyron go iawn.

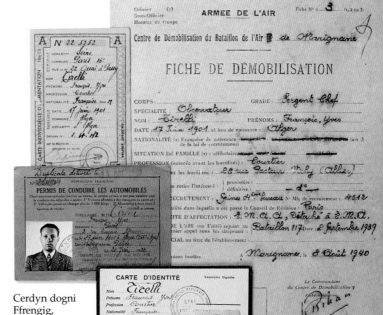

Cerdyn dogni Ffrengig, trwydded yrru a dogfen filwrol

Mae chwydd mwy o faint dan y llygad chwith

Cerdyn adnabod ffug Yeo-Thomas – a'i lofnod newydd sbon "Tirelli"

BYWYDAU CUDD
Câi ysbiwyr enwau newydd a dogfennau ffug. Gweithiodd y Prydeiniwr Forest Frederick Edward Yeo-Thomas (1901–64), llysenw "White Rabbit", deirgwaith gyda'r Gwrthsafiad Ffrengig. François Thierry, yna Tirelli, o Algiers, oedd ei enw ffug. Fe'i daliwyd yn 1944. Er iddo gael ei arteithio gan y Gestapo, fe oroesodd.

Carn sgerbwd – ffrâm ysgafn

Triger

GYNNAU'R GWRTHSAFIAD
Roedd y dryll peiriant Sten Prydeinig yn ysgafn a hawdd i'w ddefnyddio. Gellid ei gynhyrchu'n rhad a di-drafferth, ac fe'i copïwyd gan grwpiau gwrthsafiad ledled Ewrop. Grŵp o Ddenmarc adeiladodd y 9-mm Mark II hwn.

YMOSOD O'R LLWYNI
Dyma bennaeth grŵp gwrthsafiad y Maquis yn rhoi cyfarwyddiadau i'w aelodau. Dechreuodd y Ffrancwyr wrthsefyll yr Almaenwyr yn syth ar ôl i'w gwlad gael ei goresgyn ym Mai 1940. Ond di-drefn oedd y gwrthsafiad cynnar. Erbyn 1941, roedd ychydig o grwpiau arfog yn gweithredu. Eu llysenw oedd y Maquis. Y gair am 'lwyn' yn iaith Corsica yw maquis. Arferai'r Maquis guddio mewn llwyni ac ymosod yn sydyn ar yr Almaenwyr.

YN Y LLAWES
Cuddiai lluoedd y Ffrancwyr Rhydd gyllyll bach yn eu llabedi ac yn eu llewys. Os caent eu dal, byddent yn ymosod ac yn dianc, gyda chanlyniadau gwaedlyd ond effeithiol. Mae bathodyn y Ffrancwyr Rhydd – Croes Lorraine – ar wain y gyllell.

Gwain ar fand braich a wisgid o dan y dillad

GWEDDW DDEWR
Gwerthu persawr yn Llundain oedd Violette Szabo (1921–1945) cyn ymuno â'r Special Operations Executive (SOE). Ymunodd ar ôl i'w gŵr gael ei ladd tra'n ymladd ym myddin y Ffrancwyr Rhydd. Gollyngwyd hi ddwywaith ar barasiwt yn Ffrainc – y tro ola ym Mehefin 1944 – i helpu grŵp gwrthsafiad. Fe'i daliwyd a bu farw mewn gwersyll crynhoi.

Distawydd sy'n lleihau sŵn y gwn

ARFAU DISTAW
Defnyddiwyd y pistol Beretta distaw hwn gan aelodau o'r Organizzazione di Vigilanza e Repressione dell'Antifascismo (OVRA) yn yr Eidal. Eu pwrpas oedd atal y gwrthwynebiad i ffasgaeth, ac fe ymladdon nhw yn erbyn grwpiau gwrthsafiad yn yr Alpau Ffrengig a'r Balcanau.

PARTISANIAID TITO
Grŵp gwrthsafiad mwyaf llwyddiannus Ewrop oedd Partisaniaid Iwgoslafia (a welir yma). Tito (1892–1980), arweinydd y Blaid Gomiwnyddol, drefnodd y fyddin, gan ddenu 150,000 o aelodau. Yn 1944 fe lwyddodd y Partisaniaid, ynghyd â Byddin Goch yr Undeb Sofietaidd, i ailgipio prifddinas Iwgoslafia, ac yna'r wlad gyfan, oddi ar yr Almaenwyr.

Yn y fyddin Almaenig

NID UN FYDDIN YN UNIG oedd Lluoedd Arfog yr Almaen, ond cymysgedd o wahanol fudiadau. Roedd pob un, ar wahân, yn adrodd yn ôl i Hitler, y pencadlywydd. Y Wehrmacht oedd y brif fyddin, a doedd dim perthynas rhyngddi â'r Schutzstaffel (SS), a ffurfiwyd yn wreiddiol i amddiffyn Plaid Genedlaethol Sosialaidd Gweithwyr yr Almaen. Roedd sawl aelod o'r heddlu dirgel (Gestapo) yn swyddogion SS. Roedd yr adrannau Panzer, y llynges (Kriegsmarine), a'r llu awyr (Luftwaffe) hefyd ar wahân, yn ogystal â'r lluoedd wrth gefn, y milisia, a'r Crysau Brown. Roedd iwniffformau a bathodynnau'n bwysig i greu delwedd gref a fyddai'n denu milwyr ifainc a ffyddlon. Roedd digon o arfau gan y lluoedd Almaenig, ac ar adegau roedd eu trefniant yn wych.

Emblem y benglog

Cap maes

MEWN DU
Gwisgai milwyr SS Panzer siaced fer, ddu, dynn (*Panzerjacke*), oedd yn addas ar gyfer gofod cyfyng y tanc. Ar y cap maes roedd emblem genedlaethol yr Almaen a phenglog yr SS.

Bathodyn adrannol

Clwt coler â symbolau buddugoliaeth

Siaced SS Panzer

Teitl adran "Adolf Hitler"

Gwregys

Arwyddair yr SS "Meine Ehre heis[t] Treue" (Ffyddlondeb yw fy anrhyde[dd])

Trywsus

TANCIAU
Perthynai'r tanciau i fyddin Panzer. Panzer yw'r gair Almaenig am arfwisg. Roedd y PzKpfw IV (ar y dde) yn un o 2,500 tanc a roliodd i mewn i Ffrainc yn 1940, pan ymosododd 10 uned Panzer.

Webin gwregys

BATHODYN BALCH
Gwisgid y bathodyn hwn, sy'n dangos yr emblem genedlaethol mewn arian ar gefndir du, gan aelodau'r Waffen-SS, adran filwrol yr SS. Ar ei hanterth yn 1942-43 roedd gan y Waffen-SS 39 uned a thros 900,000 o filwyr.

Ymyl ffansi

Eryr

Swastica – hen symbol o lwc

Hollt migwrn

Emblem genedlaethol

Dolenni ar gyfer llusgo'r gwn

SAETHWR CUDD
Un o ynnau gwrth-danc mwyaf poblogaidd y fyddin Almaenig oedd y Pak 38 (chwith). Dyma'r unig wn allai wneud difrod i danciau nerthol T34 yr Undeb Sofietaidd. Gallai danio dros bellter o 2,750 m (9,023 tr), a chan ei fod yn isel, roedd hi'n anodd i'r gelyn ei weld.

Esgidiau

Olwynion solet a gwyn

Cap swyddog cyffredinol

Bathodyn
Uwchfrigadydd

Dail derwen
a llawryf

Clwt-coler dail
derwen aur ar
gyfer swyddog
cyffredinol

Nblem
nedlaethol

ERYR A SWASTICA
Rhoddwyd emblem genedlaethol newydd
Hitler – eryr yn dal swastica – ar iwnifform
safonol y fyddin, ond cadwyd llawer
o'r bathodynnau traddodiadol,
gan gynnwys bathodynnau
swyddogion. Roedd lliw'r cortyn
peipio'n amrywio – rhuddgoch
ar gyfer y staff milwrol, gwyn
ar gyfer y troedfilwyr a
choch ar gyfer swyddog
y gynnau mawr.

Bar ruban

Croes haearn
Dosbarth 1af, 1939

Bachyn i
ddal dagr

Teitl adran
"Grossdeutschland"
(Almaen Fawr)

Tiwnig maes

Chwe baril, yn
tanio un eiliad
ar ôl y llall

MOANING MINNIE
Roedd y nebelwerfer (taflwr niwl)
yn tanio rocedi 32-kg (70-lb) hyd
at 6,900 m (22,639 tr). Roedd hi'n hawdd
gweld safle'r taflwr gan fod fflam lachar 12-m (40-tr)
yn tasgu o gynffon y roced wrth iddi godi. Llysenw
Saesneg y taflwr oedd "Moaning Minnie" o achos
ei sŵn.

Gwregys â
gwain dryll

Gwain
dryll

Trywsus
swyddog
cyffredinol

Poced ar
gyfer
watsh

Streipen
goch
lydan sy'n
dangos fod
y perchennog
yn swyddog
gynnau
mawr.

CRYSAU BROWN
Llysenw milwyr
y Sturmabteilung
(SA), neu adran
storm, oedd Crysau Brown,
oherwydd lliw eu
hiwnifform. Ffurfiwyd yr
adran yn 1921 i warchod
siaradwyr Natsïaidd
mewn cyfarfodydd
cyhoeddus, a thyfodd
i dros 500,000 o aelodau.
Yn dilyn
gwrthwynebiad
y fyddin, fe gollon nhw
lawer o'u pwerau ym
Mehefin 1934.

BAND BRAICH SS
Aelodau'r Schutzstaffel (SS), mudiad
mwyaf brawychus y Natsïaid, oedd
yn gwisgo'r band braich hwn. Roedd
yr SS yn enwog am eu trais a'u creulondeb,
ac yn gyfrifol am reoli'r gwersylloedd
crynhoi.

Careiau
i glymu
gwaelod
y trywsus
yn dynn

Esgidiau
swyddog
cyffredinol

PARÊD YR SS
Crewyd y Schuttzstaffel (SS) gan Hitler i'w
warchod ei hun yn bersonol. O dan Heinrich
Himmel, daeth yr SS yn warchodlu ar wahân.
Yn eu cotiau llwyd a'r bathodyn penglog
ar eu capiau, y Schutzstaffel fu'n gyfrifol
am droseddau gwaethau'r Natsïaid.

I'R GAD
Dyma droedfilwr Almaenig. Y tu ôl iddo
mae fferm Rwsiaidd yn llosgi. Ymladdodd
12.5 miliwn o filwyr ym myddin yr
Almaen yn ystod y rhyfel. Chwaraeodd
y troedfilwyr ran bwysig, gan ymladd yr
holl ffordd i gyrion Moscow, cyn troi'n ôl
i amddiffyn Berlin.

Brwydr Prydain

PAN DRECHWYD A MEDDIANNWYD FFRAINC YM MEHEFIN 1940, disgwyliai Hitler i Brydain gytuno ar heddwch. Ond roedd Prydain, dan ei harweinydd newydd Winston Churchill, yn benderfynol o barhau'r frwydr. Felly, penderfynodd Hitler yrru'i luoedd ar draws y Sianel. I sicrhau llwyddiant yr ymgyrch hwn – Cyrch Morlew – roedd rhaid i Lu Awyr yr Almaen (Luftwaffe) drechu'r Llu Awyr Brenhinol (RAF). Dechreuwyd ymosod ar feysydd awyr Prydain ar 10 Gorffennaf 1940. Hedfanodd rhesi o awyrennau bomio Dornier Almaenig dros dde-ddwyrain Lloegr, ynghyd ag awyrennau ymladd Messerschmitt. Gwrthymosododd yr Hurricanes a'r Spitfires Prydeinig. Ddydd ar ôl dydd, fe fu brwydro chwyrn yn yr awyr. Yn raddol dechreuodd y Prydeinwyr ennill ac yn Hydref 1940 daeth yr Almaen â'r cyrch i ben.

8 gwn peiriant Browning ar ymylon blaen yr adenydd

SPITFIRE
Ar ddechrau'r rhyfel, y Spitfire Mk 1A oedd awyren ymladd fwyaf modern Prydain. Gallai gyrraedd cyflymder o 582km (362 milltir) yr awr. Pan hedfanai'n uchel, roedd hi'n gyflymach na'r Messerschmitt Almaenig Bf109E. Roedd hi hefyd yn haws ei thrin.

PEILOTIAID RHYNGWLADOL
Ymunodd dynion o bedwar ban byd â'r Llu Awyr Prydeinig, gan gynnwys Pwyliaid, Tsiecoslofaciaid a Ffrancwyr oedd wedi dianc o wledydd dan reolaeth yr Almaen. Hefyd roedd peilotiaid o Ganada a Seland Newydd, a saith o UDA, er nad oedd y wlad honno wedi ymuno â'r rhyfel eto. Châi peilot newydd ddim mwy na 10 awr o hyfforddiant cyn mynd i ymladd.

Dau gyfeiriwr Prydeinig (chwith) a dau beilot Pwylaidd yn astudio map

Derbynnydd radar gwrth-awyren symudol

RADAR
Roedd radar yn rhybuddio'r Llu Awyr fod awyrennau'r gelyn yn nesáu, ac felly'n hollbwysig. Defnyddiai'r systemau radar fastiau dur 90-m (300-tr) i yrru signalau radio. Sbonciai'r signalau oddi ar awyrennau'r gelyn, ac fe'u clywid gan y derbynwyr radar, yna rhedai'r peilotiaid i'w hawyrennau'n syth.

WYNEB YN WYNEB
Wrth i'r RAF a'r Luftwaffe frwydro i reoli'r awyr, byddai awyrennau unigol yn aml yn ymladd â'i gilydd wyneb yn wyneb. Dyma lun o'r ffilm *Battle of Britain*. Dangosai'r peilotiaid ifanc, blinedig, a phrin eu hyfforddiant, ddewrder rhyfeddol.

> *"Never in the field of human conflict was so much owed by so many to so few."*
>
> WINSTON CHURCHILL, 1940

Messerschmitts Bf110C

MESSERSCHMITTS

Roedd dau brif fath o Messerschmitt gan yr Almaenwyr. Hebrwng awyrennau bomio oedd pwrpas y Bf110C. Roedd yn araf ac anodd ei thrin. Allai hi ddim cystadlu â'r Hurricanes a'r Spitfires Prydeinig. Roedd y Bf109E yn gyflymach, ac yn well na'r Hurricane, ond allai hi ddim hedfan mwy na 660 km (410 milltir) ar y tro, ac roedd hynny'n anfantais.

Dwy asgell ar y gynffon

LLU AWYR GÖRING

Gwyliodd Reichsmarschall Hermann Göring, pennaeth y Luftwaffe, a'i swyddogion Frwydr Prydain o arfordir Ffrainc. Credai Göring y gallai'r Luftwaffe ddinistrio amddiffynfeydd awyr de Lloegr mewn 4 diwrnod a'r Llu Awyr Prydeinig mewn 4 wythnos. Yna byddai'r Almaen yn cipio Prydain. Ond methu wnaeth y Luftwaffe.

GWYLIO

Defnyddiai'r criw ar lawr finociwlars cryf a chadarn i wylio am awyrennau'r gelyn. Dyma rai a ddefnyddid gan y Luftwaffe ar ffrynt yr Almaen. Defnyddiai'r ddwy ochr radar i wylio o bell. Wrth ymladd yn yr awyr, roedd rhaid i'r peilotiaid gadw llygad yn ddibaid ar symudiadau awyrennau'r gelyn.

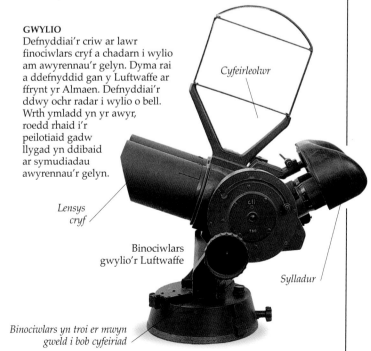

Cyfeirleolwr

Lensys cryf

Binociwlars gwylio'r Luftwaffe

Sylladur

Binociwlars yn troi er mwyn gweld i bob cyfeiriad

Cyrchoedd bomio

Pobl yn dod allan o'r lloches a achubodd eu bywydau, pan ddinistriwyd eu cartref yn y Blitz

Bathodyn gwasanaeth tân Prydain

Doedd 'run sŵn mwy brawychus na rhu isel yr awyrennnau bomio'n nesáu, ac yn paratoi i ollwng eu ffrwydron nerthol a'u bomiau tân ar y trefi islaw. Gwanhau'r gelyn drwy ddinistrio'i safleoedd pwysig (purfeydd olew, ffatrïoedd a rheilffyrdd) oedd bwriad y ddwy ochr. Hefyd, drwy fomio cartrefi, gobeithient dorri calonnau'r bobl gan orfodi'r wlad i ildio. Felly fe ddioddefodd Prydain y Blitz yn 1940–41, a bomiwyd yr Almaen yn gyson o 1942 ymlaen, a Japan o 1944. Lladdwyd miloedd, a dinistriwyd tai ac adeiladau hynafol.

GOROESI CYRCH AWYR

Yn ystod cyrch awyr, cuddiai rhai mewn llochesau tanddaearol, ac eraill mewn selerau a llochesau dros dro yn eu tai. Er i gymaint o fomiau ddisgyn ar ddinasoedd Ewrop, Japan a China, fe oroesodd llawer.

BOMIAU NERTHOL

Yng nghyfnod ola'r rhyfel, lansiodd yr Almaen arf newydd brawychus, sef y bom hedegog V-1 a'r roced V-2. (Ystyr y V oedd *vengeance* – dial.) Cariai'r ddau fom 1-dunnell fetrig (2,205-lb) o ffrwydron. Serch hynny, saethwyd sawl V-1 yn ddarnau cyn iddyn nhw gyrraedd y ddaear. Methodd eraill â chyrraedd eu targed, am eu bod yn anodd eu hanelu'n gywir.

YMLADD TÂN

Ar ôl i'r bomiau ddisgyn, tân oedd yn creu'r difrod mwyaf. Roedd yr ymladdwyr tân yn mentro'u bywydau i ddiffodd y fflamau, ac yn gofalu nad oedd neb ar ôl yn yr adeiladau.

Dynion tân Llundain yn diffodd fflamau mewn warws, 1941

Roedd y V-2 yn mesur 14 m (46 tr), yn pwyso 13 tunnell fetrig (28,660 lb) ac yn hedfan 80 km (50 milltir) uwchben y ddaear.

Roced V-2

Bom tân magnesiwm

BOMIAU TÂN

Gollyngwyd miloedd o fomiau tân ar ddinasoedd Prydain a'r Almaen. Gan eu bod yn llawn o gemegion fel magnesiwm a ffosfforws a losgai'n hawdd, roedd y bomiau'n rhoi adeiladau ar dân drwy greu gwres uchel.

Y BLITZ

Rhwng Medi 1940 a Mai 1941, ceisiodd yr Almaen orfodi Prydain i ildio drwy fomio'i phrif ddinasoedd. Lansiodd 127 cyrch mawr liw nos, 71 yn erbyn Llundain a'r gweddill yn erbyn dinasoedd fel Lerpwl, Glasgow, Belfast, Abertawe a Chaerdydd. Lladdwyd dros 60,000 o sifiliaid a dinistriwyd 2 filiwn o gartrefi yn y Blitz.

BOMIO DRESDEN

Achosodd cyrch bomio'r Cynghreiriaid ar Dresden, yr Almaen, yn Chwefror 1945 ddadl enfawr. Creodd y bomiau storm dân a ddinistriodd bob adeilad a lladd rhwng 30,000 a 60,000 o sifiliaid. Gan nad oedd llawer o dargedau milwrol yn y ddinas, honnwyd fod y cyrch hwn yn erbyn pobl ddi-amddiffyn yn drosedd ryfel.

BOMIAU I LAWR

Roedd yr awyrennau bomio mawr, fel y Flying Fortresses Americanaidd, yn cario hyd at 5,800 kg (12,800 lb) o ffrwydron. Gallent achosi niwed difrifol iawn i safleoedd pwysig ac i sifiliaid.

Annel y gwn

AMDDIFFYN Y PEILOT

Roedd y gynnwr mewn awyren fomio'n gwneud gwaith peryglus iawn. Roedd e'n gorfod sefyll neu eistedd yn y tyred gynnau amlwg, er mwyn gallu gweld yr awyr a gwylio am awyrennau'r gelyn.

Adfeilion Dresden ddwy flynedd ar ôl y cyrch

ENNILL BATHODYN

Roedd y Luftwaffe (Llu Awyr yr Almaen) yn rhoi bathodyn gwasanaeth rhyfel i'w gynwyr ar sail pwyntiau. Roedd pob awyren a saethwyd i'r llawr yn werth 4 pwynt. I ennill y bathodyn, rhaid cael 16 pwynt.

GWN PEIRIANT Y BOMIWR

Yr unig amddiffyniad ar fwrdd awyren fomio oedd y gynnwyr â'u gynnau peiriant nerthol. Yn yr awyr, roedd yr awyren araf a llwythog yn darged hawdd i awyrennau ymladd y gelyn a'r gynnau gwrth-awyren ar lawr. Teithiai'r awyrennau bomio mewn confoi mawr, fel arfer, gydag awyrennau ymladd yn eu gwarchod.

Gwn peiriant ôl o awyren Heinkel

Wardeniaid cyrch awyr a sifiliaid yn chwilio am bobl yn yr adfeilion

Un o strydoedd Llundain ar ôl noson o fomio yn y Blitz

Rhyfel diarbed

Map yn dangos rheolaeth yr Axis dros Ewrop

Strap ysgwydd Stalin

TAN GANOL 1941, ymladdwyd y rhyfel yn bennaf yn Ewrop a Gogledd Affrica. Ar y naill ochr roedd yr Axis (yr Almaen, yr Eidal a rhai o wledydd dwyrain Ewrop). Ar y llall roedd y Cynghreiriaid (Prydain, Ffrainc a'u hymerodraethau enfawr). Ar ôl i Ffrainc syrthio ym Mehefin 1940, safai Prydain ar ei phen ei hun. Newidiodd y sefyllfa, pan ymosododd yr Almaen ar yr Undeb Sofietaidd, a phan ymosododd Japan ar UDA yn Pearl Harbor ac ar Brydain ym Malaya. Nawr roedd y rhyfel yn fyd-eang. Fe fu brwydro o Ogledd yr Iwerydd i'r Môr Tawel, ac o anialwch Gogledd Affrica i stepdiroedd rhewllyd yr Undeb Sofietaidd, a jyngl de-ddwyrain Asia.

DAN YR AXIS
Erbyn Tachwedd 1942, roedd yr Almaen a'r Eidal wedi goresgyn rhan helaeth o Ewrop. Dim ond Prydain a'r Undeb Sofietaidd oedd yn brwydro yn eu herbyn. Yng Ngogledd Affrica roedd y Cynghreiriaid wedi meddiannu Morocco ac Algeria ac yn gyrru'r Almaenwyr o'r Aifft i Libya.

Gwledydd yr Axis

Ardaloedd a reolid gan yr Axis

Gwledydd y Cynghreiriaid

Ardaloedd a reolid gan y Cynghreiriaid

Gwledydd niwtral

-- Ffiniau goresgyniad milwrol yr Almaen

YMLADD DROS FFRAINC
Pan oresgynnwyd Ffrainc gan yr Almaen, aeth y Cadfridog Charles de Gaulle (chwith) i Brydain a chodi baner Ffrainc Rydd. Ar y dechrau chafodd e fawr o gefnogaeth, ond yna daeth yn arweinydd ar griw mawr o filwyr Ffrengig tramorol a gwrthsafwyr.

Tanciau Almaenig yn mynd drwy bentref yn Rwsia a losgwyd gan ei drigolion wrth ffoi

I'R UNDEB SOFIETAIDD
Ar 22 Mehefin 1941, ymosododd yr Almaenwyr yn annisgwyl ar yr Undeb Sofietaidd, gan dorri cytundeb Natsi-Sofietaidd 1939. O ganlyniad i'r ymgyrch hwn –Ymgyrch Barbarossa – ymunodd y Sofietiaid â'r rhyfel yn erbyn yr Almaen.

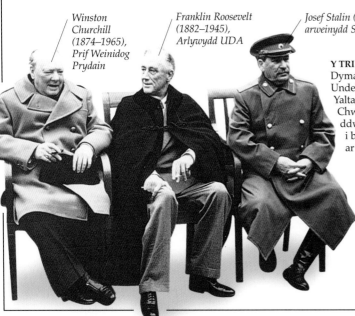

Winston Churchill (1874–1965), Prif Weinidog Prydain

Franklin Roosevelt (1882–1945), Arlywydd UDA

Josef Stalin (1879–1953), arweinydd Sofietaidd

Y TRI MAWR
Dyma arweinwyr Prydain, yr Undeb Sofietaidd ac UDA yn Yalta, ardal y Crimea, Rwsia, Chwefror 1945. Cyfarfu'r tri ddwywaith yn ystod y rhyfel i benderfynu ar strategaeth ar y cyd.

YMOSODIAD PEARL HARBOR
Ar 7 Rhagfyr 1941, ymosododd Japan yn annisgwyl ar ganolfan llynges UDA yn Pearl Harbor, Hawaii. Dinistriwyd 19 llong a lladdwyd 2,403 o forwyr. "Diwrnod gwarthus a gofir am byth," meddai'r Arlywydd Roosevelt. Ar 11 Rhagfyr, cyhoeddodd yr Almaen ryfel ar UDA.

MUSSOLINI A'R EIDAL

Wnaeth yr Eidal, o dan Mussolini (ar y dde), ddim ymuno â'r rhyfel o blaid yr Almaen tan Fehefin 1940. Bryd hynny cyhoeddodd yr Eidal ryfel ar Brydain a Ffrainc, ac ymosod ar dde Ffrainc. Yn Hydref 1940, ymosododd ar Groeg, ac yn 1941, rhannwyd Iwgoslafia rhyngddi hi a'r Almaen. Ymladdodd milwyr yr Eidal ochr yn ochr â'r Almaen yn Rwsia hefyd, ond doedd hi ddim yn bartneriaeth gyfartal. Isbartner oedd yr Eidal.

Hitler a Mussolini'n gyrru drwy Fflorens, yr Eidal

Y CADFRIDOG TOJO

Hideki Tojo (1884–1948) oedd arweinydd plaid pro-filwrol Japan o 1931, ac ochrai â'r Almaen a'r Eidal. Daeth yn brif weinidog, Hydref 1941. Dan ei arweiniad ymosododd Japan ar diroedd UDA a Phrydain yn Asia, a lledaenu ymerodraeth Japan ar draws de-ddwyrain Asia a'r Môr Tawel. Fe'i cyhuddwyd o droseddau rhyfel a'i ddienyddio yn 1948.

Y Cadfridog Hideki Tojo ar glawr cylchgrawn Japaneaidd adeg y rhyfel

JAPAN YN RHEOLI

Erbyn misoedd cynnar 1942, roedd Japan wedi goresgyn de-ddwyrain Asia a rhannau helaeth o'r Môr Tawel. Ataliwyd y Japaneaid gan fuddugoliaeth forwrol UDA ym Midway, Mehefin 1942.

Ardal a reolid gan Japan erbyn 1942

Yr ardal a ychwanegwyd at Japan

Yr ymosodiad ar Pearl Harbor

Un o longau'r llynges yn ffrwydro wrth i Japan ei bomio

25

Ar diroedd y gelyn

DRWY GYDOL Y RHYFEL, peryglodd dynion a gwragedd eu bywydau drwy fentro ar diroedd y gelyn i ysbïo, helpu'r gwrthsafwyr a rhwystro cynlluniau'r gelyn. Roedd gan lywodraethau rwydwaith eang o ysbiwyr. Ym Mhrydain roedd y Special Operations Executive (SOE), ac yn UDA, yr *Office of Strategic Services* (OSS), yn hyfforddi ysbiwyr i weithio yn y dirgel yng nghanol y gelyn. Bu technegwyr wrthi'n brysur yn dyfeisio dulliau cyfrwys o guddio radios, mapiau ac offer angenrheidiol. Serch hynny, cafodd llawer o aelodau'r SOE eu lladd, eu dal, eu harteithio a'u gyrru i wersylloedd crynhoi. Ychydig iawn oroesodd a chael cyfle i sôn am eu dewrder.

PILSEN FARWOL
Cariai ysbiwyr Prydain bilsen L (L am *lethal*), i'w llyncu os caent eu dal gan y gelyn. Roedd y bilsen yn lladd ymhen 5 eiliad, cyn i neb allu achub yr ysbïwr. Cuddiai'r ysbiwyr y bilsen yn eu heiddo personol – mewn locedi a modrwyon, er enghraifft.

Cwmpawd bach   Lle i guddio neges

PIBELL DWYLLODRUS
Er bod y bibell yn edrych yn hollol normal, mae cwmpawd yn y goes a lle i fap neu neges. Roedd leinin o asbestos ym mhen blaen y bibell, fel y gellid ei smygu heb roi'r map ar dân.

Torrwyd y tyllau i arddangos y gyllell

Llafn

CYLLELL DDIRGEL
Cynlluniodd M19, y corff Prydeinig oedd yn helpu carcharorion rhyfel i ddianc, y pensil hwn â chyllell handi y tu mewn. Fyddai'r gelyn ddim yn debygol o amau pensil.

Y top yn dadsgriwio ar gyfer llwytho

Cetrisen

YSBÏO DROS Y SOFIETIAID
Ar y stamp Sofietaidd mae llun Richard Sorge (1895–1944), newyddiadurwr Almaenig a ysbïodd dros Rwsia. Pan oedd yn gweithio i bapur newydd yn Japan, clywodd fod Japan yn bwriadu ymosod ar Asia, yn hytrach na'r Undeb Sofietaidd, yn 1941. Golygai'r wybodaeth hon fod y Sofietiaid yn gallu canolbwyntio ar ymladd â'r Almaen.

PISTOL PENSIL
Drwy ddatod y pen a rhoi cetrisen 6.35 mm i mewn, roedd y pensil hwn yn troi'n bistol. Roedd y botwm ar yr ochr yn rhyddhau'r morthwyl sbring-lwythog oedd yn tanio'r getrisen.

Tynnu'r botwm i danio

DAU DDEWR
Ganed Odette Sansom yn Ffrainc, ac fe'i gyrrwyd gan yr SOE i dde Ffrainc yn 1942 i gysylltu ag un, dan arweiniad Peter Churchill, oedd yn helpu'r gwrthsafwyr. Cafodd y ddau eu dal yn 1943 a'u holi gan swyddogion Almaenig. Ar ôl bod mewn gwersyll crynhoi, fe briodon nhw ar ddiwedd y rhyfel.

GWENWYN!
Teclyn clyfar iawn a ddyfeisiwyd ym Mhrydain oedd y pen-saethwr. Câi nodwydd gramoffon finiog ei chuddio mewn pen sgrifennu a'i saethu at y gelyn, drwy dynnu'r cap tuag yn ôl. Doedd y nodwydd ddim yn debyg o ladd, ond gellid dychryn y gelyn drwy esgus bod gwenwyn arni.

Deial tiwnio

ÔL TRAED FFUG
Cafodd ysbiwyr yr SOE wadnau rwber siâp traed i'w rhoi o dan eu hesgidiau cyn glanio ar draeth. Fel canlyniad, roedd y Japaneaid yn meddwl mai brodorion troednoeth oedd wedi cerdded dros y tywod, ac nid ysbiwyr.

Strapiau i glymu'r gwadn i esgid yr ysbïwr

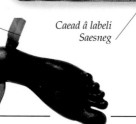

Caead â labeli Saesneg

RADIO POCED
Roedd gwasanaeth cudd-ymchwil milwrol yr Almaen – Abwehr – yn rhoi radio batri i'w ysbiwyr. Gallai'r ysbiwyr yrru a derbyn negeseuon cod Morse. Roedd labeli Saesneg ar y radio, i dwyllo'r gelyn pe câi'r ysbïwr ei ddal.

DAN Y DROED

Roedd poced fach mewn sawdl rwber yn lle syml ac effeithiol i guddio mapiau a phapurau. Fe'i defnyddiwyd gan y ddwy ochr. Ond os câi'r ysbïwr ei ddal, byddai'r gelyn yn archwilio'r sawdl yn syth.

Neges yn cuddio yn y sawdl

DIWEDD TRIST

Doedd pob ymgyrch a drefnwyd gan SOE ddim yn llwyddiannus. Gollyngwyd Madeleine Damerment a dau ysbïwr arall ar barasiwt yn Ffrainc, Chwefror 1944. Daliwyd Madeleine wrth lanio. Ar ôl ei holi, fe'i gyrrwyd i wersyll crynhoi Dachau a'i dienyddio. Dyna ddigwyddodd i lawer o ysbiwyr.

TRICIAU CARDIAU

Mae rhan o fap y tu mewn i'r cerdyn hwn – map sy'n dangos i ddihangwyr sut i gyrraedd adre. I roi'r map at ei gilydd, trochai'r dihangwyr y cardiau mewn dŵr, nes cael gafael ar y bob darn, a'u trefnu yn ôl y rhifau oedd arnyn nhw.

Wyneb y cerdyn yn codi i ddangos y map

MATSIS FFRENGIG?

Er ei fod yn edrych yn Ffrengig, cafodd y blwch matsis hwn ei wneud ym Mhrydain ar gyfer ysbïwyr. Petai ysbïwr yn cario pethau Prydeinig mewn gwlad dramor, gallai'r gelyn ei adnabod. Felly roedd rhaid cynhyrchu pethau oedd yn edrych yn lleol.

Caead lens

CAMERA BLWCH MATSIS

Datblygodd cwmni Kodak, UDA, y camera bach hwn er mwyn i ysbïwyr OSS allu tynnu lluniau dirgel o'r gelyn. Roedd y label yn newid o wlad i wlad, ble bynnag roedd yr ysbïwr yn gweithio.

NEGESEUON MEWN BAG

Defnyddiai'r ddwy ochr radio mewn cês i ddarlledu negeseuon o diroedd y gelyn. Weithiau, i dwyllo'r gelyn, defnyddiai'r UDA gesys y faciwîs oedd wedi cyrraedd Efrog Newydd. Gyrrid negeseuon cod Morse, gan ddefnyddio sŵn yn lle llythrennau.

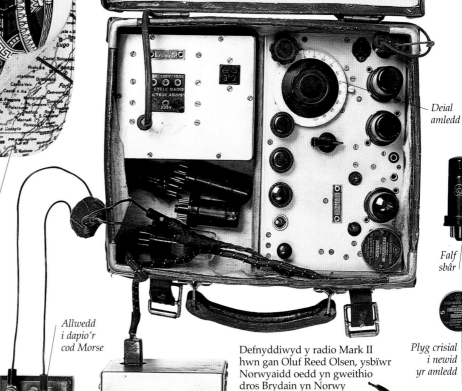

Gwisgai'r ysbïwyr ffonau clust i wrando ar negeseuon

Plyg i gysylltu'r trosglwyddydd â'r cyflenwad pŵer

Deial amledd

Falf sbâr

Plyg crisial i newid yr amledd

Allwedd i dapio'r cod Morse

Defnyddiwyd y radio Mark II hwn gan Oluf Reed Olsen, ysbïwr Norwyaidd oedd yn gweithio dros Brydain yn Norwy

Clipiau i gysylltu'r trosglwyddydd â batri car, os oedd angen

27

Y carcharorion

WRTH I'R RHYFEL FYND YN EI FLAEN, daliwyd miliynau o filwyr, ac ildiodd eraill. Yn 1941, er enghraifft, yn ystod tri mis cyntaf ymosodiad yr Almaen ar yr Undeb Sofietaidd, daliwyd a charcharwyd dros ddwy filiwn o filwyr y Fyddin Goch. Treuliodd llawer o garcharorion rhyfel fisoedd, os nad blynyddoedd, mewn gwersylloedd a godwyd yn arbennig ar eu cyfer. Roedd cytundebau rhyngwladol, fel Cytundeb Genefa yn 1929, wedi ceisio sicrhau fod carcharorion yn cael pob gofal, ond doedd pawb ddim yn cadw at hyn. Chymerodd Japan ddim sylw, ac ar y cyfan ni barchodd yr Almaenwyr a'r Sofietiaid hyn yn achos carcharorion ei gilydd. Cynlluniodd sawl carcharor i ddianc, ond ychydig lwyddodd, a chafodd rhai eu dal a'u cosbi'n llym.

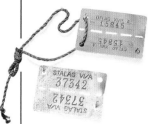

LABELI
Roedd rhaid i bob carcharor rhyfel gario label adnabod. Dyma labeli o wersylloedd Oflag XVIIA a Stalag VI/A yn yr Almaen.

ARIAN Y GWERSYLL
Câi milwyr y Cynghreiriaid, a garcharwyd yn yr Almaen, eu talu am eu gwaith ag arian arbennig y gwersyll (*Lagergeld*). Gallent ddefnyddio'r arian, fel y papurau 1, 2 a 5 Reichsmark (uchod), i brynu raseli, sebon siafio, past dannedd ac weithiau bwyd o gantîn y gwersyll.

BWCL MINIOG
Weithiau llwyddai carcharor i smyglo arfau syml i'r gwersyll. Pe bai'r gelyn yn ei glymu, gallai llif ar fwcl ei helpu i dorri'r rhaffau.

Llif fach

Mae'r carcharorion Pwylaidd wedi smyglo bwyd i'w caban ac wedi adeiladu popty

BYWYD YN Y GWERSYLL
Roedd Cytundeb Genefa'n rhestru hawliau dynol carcharorion rhyfel. Roedd ganddynt hawl i ddillad, bwyd a llety cystal â rhai eu gwylwyr, a hawl i gadw eiddo personol, i ymarfer eu crefydd a chael gofal meddygol. Doedd pawb ddim yn cadw at hyn, a dioddefodd llawer o'r carcharorion yn enbyd.

CWMPAWD BOTWM
Dyma gwmpawd sy'n cuddio mewn botwm. Pe bai'r carcharor yn dianc, gallai groesi tiroedd y gelyn gyda help y cwmpawd.

Nodwydd cwmpawd

Llafnau sy'n troi

LLAFNAU LLYM
Rhoddai milwyr lafnau miniog ar sodlau metel eu hesgidiau ac weithiau ar ddarnau o arian. Fel arfer, caniateid i'r carcharorion gadw eu harian mân, ond byddai'r gwylwyr yn mynd â'u harian papur.

Hoelen i ddal y llafn ar y sawdl

HEDFAN I FFWRDD
Dyma gleider a adeiladwyd gan garcharorion yn atig Castell Colditz, yr Almaen. Câi swyddogion y Cynghreiriaid, a oedd wedi ceisio dianc o wersylloedd eraill, eu gyrru i'r gwersyll cosb hwn. O'r 1,500 carcharor, ceisiodd 176 ddianc, ond dim ond 31 lwyddodd.

OFFER ARBENNIG
Roedd carcharorion yn defnyddio pob math o bethau i'w helpu i ddianc. Yn Colditz fe wnaed offer syml o byst gwely a darnau o fetel, a'u defnyddio i wneud y gleider (uchod).

Plaen a llif a wnaed gan garcharorion

Esgid hedfan

ESGID ESGUS
Cariai peilotiaid Prydain gyllell fach mewn poced ddirgel, er mwyn gallu torri eu hesgidiau hedfan a'u troi'n esgidiau bob dydd. Yna, pe bai'r beilot yn disgyn ar diroedd y gelyn, gallai esgus bod yn un o'r bobl leol.

Esgid ar ôl torri

ANRHEGION

Yn ôl Cytundeb Genefa, câi carcharorion dderbyn llythyron o gartref, ac anrhegion o fwyd, dillad a llyfrau. Roedd y trefniant yng ngofal y Groes Goch Ryngwladol a weithredai o Genefa, yng ngwlad niwtral y Swistir. Roedd pawb wrth eu bodd yn cael parsel yn cynnwys newyddion am y teulu a phethau blasus.

Bwyd blasus, nad oedd ar gael yn y gwersyll

Parsel bwyd y Groes Goch

CERDDED YN BELL

Daliwyd yr Almaenwyr hyn gan y Cynghreiriaid yn Normandi ym Mehefin 1944. Ar ôl croesi'r Sianel, roedd rhaid cerdded i'r gwersyll agosaf. Yn aml teithiai'r carcharorion gannoedd o gilomedrau i gyrraedd gwersyll. Anfonwyd Eidalwyr a ddaliwyd yng Ngogledd Affrica i Awstralia, De Affrica ac India, ac aeth 50,000 o Eidalwyr eraill i UDA.

CARU'R GELYN

Ar ddiwedd y rhyfel chafodd rhai carcharorion mo'u gyrru adre'n syth, ond fe gawson nhw ganiatâd i ddod yn ffrindiau â'r bobl leol. Yn yr Alban, cwympodd Ludwig Maier (ail o'r dde), pensaer Almaenig, mewn cariad â'r Saesnes, Lucy Tupper. Priododd y ddau yn 1947, er na chafodd Ludwig ei ryddhau am flwyddyn arall.

RHYDDID O'R DIWEDD

Yn Ebrill 1945, rhyddhaodd UDA 9,000 carcharor Sofietaidd o wersyll Stalag 326 (isod). Yn anffodus, roedd 30,000 o'r carcharorion eisoes wedi marw. Cafodd y Sofietiaid eu trin yn wael iawn gan yr Almaenwyr. Fe'u gorfodwyd i gerdded am wythnosau o Ffrynt y Dwyrain i'r gwersylloedd Almaenig. Yno fe ddioddefon nhw newyn enbyd.

Datrys cod

MEWN NEGESEUON COD, defnyddir llythrennau, rhifau, neu symbolau yn lle geiriau. Mewn neges seiffr, caiff llythrennau neu rifau eu hychwanegu neu eu newid. Gwnaeth y Cynghreiriaid a'r Axis ddefnydd helaeth o godau a seiffrau yn ystod y rhyfel. Serch hynny fe lwyddodd cryptograffwyr (dehonglwyr cod) o UDA ac Ewrop i ddatrys negeseuon a yrrwyd gan beiriannau Japan a'r Almaen, sef Porffor ac Enigma. O ganlyniad, cafodd y Cynghreiriaid wybodaeth filwrol a diplomyddol, a fu o fantais fawr iddynt.

Bylbiau sbâr

Ffenestri bach ar y clawr sy'n dangos llythrennau mewn cod

Lleoliad y rotorau sy'n penderfynu ar y cod. Maen nhw'n troi ar ôl pob llythyren.

Allweddell ar gyfer teipio'r neges

Silindr sy'n cario 3, yn ddiweddarach 4, set o lythrennau

Goleufwrdd sy'n dangos y llythyren mewn cod

Cysodiad y plygfwrdd yn newid bob dydd

Plât ffiltr golau

Klappe schließen

ALAN TURING
Roedd y mathemategydd Alan Turing (1912-54) yn un o'r bobl ddisglair fu'n gweithio i Wasanaeth Cudd-Ymchwil Prydain yn ystod y rhyfel. Chwaraeodd ran bwysig yn y gwaith o ddehongli Enigma, a thrwy ei waith ar theori cyfrifiadur a deallusrwydd artiffisial, cyfrannodd at ddatblygiad y cyfrifiadur modern.

CYFRIFIADURON CYNNAR
Yng Nghanolfan Bletchley Park, datblygodd gwyddonwyr a chryptograffwyr y "bombe" i'w helpu i ddehongli negeseuon cyntaf Enigma. Roedd y "bombe" yn gallu profi pob cyfuniad posib o leoliadau rotor y peiriant. Wrth i Enigma fynd yn fwy cymhleth, adeiladodd Prydain y Colossus, rhagflaenydd y cyfrifiadur electronig modern.

ENIGMA
Defnyddiwyd y peiriant Enigma Almaenig am y tro cyntaf yn 1923 ar gyfer cyfrinachau masnachol. Ar ôl ei ddatblygu a'i wella, daeth yn beiriant seiffr pwysica'r Ail Ryfel Byd, ar gyfer negeseuon diplomyddol a milwrol. Roedd Enigma'n trin pob llythyren ar wahân, drwy gyfres o rotorau alffabetig a osodid ar silindr mewn trefn arbennig, a set o blygiau yn y plygfwrdd. Câi'r llythrennau eu cysodi o'r newydd bob dydd, felly roedd miliynau o wahanol gyfuniadau posib.

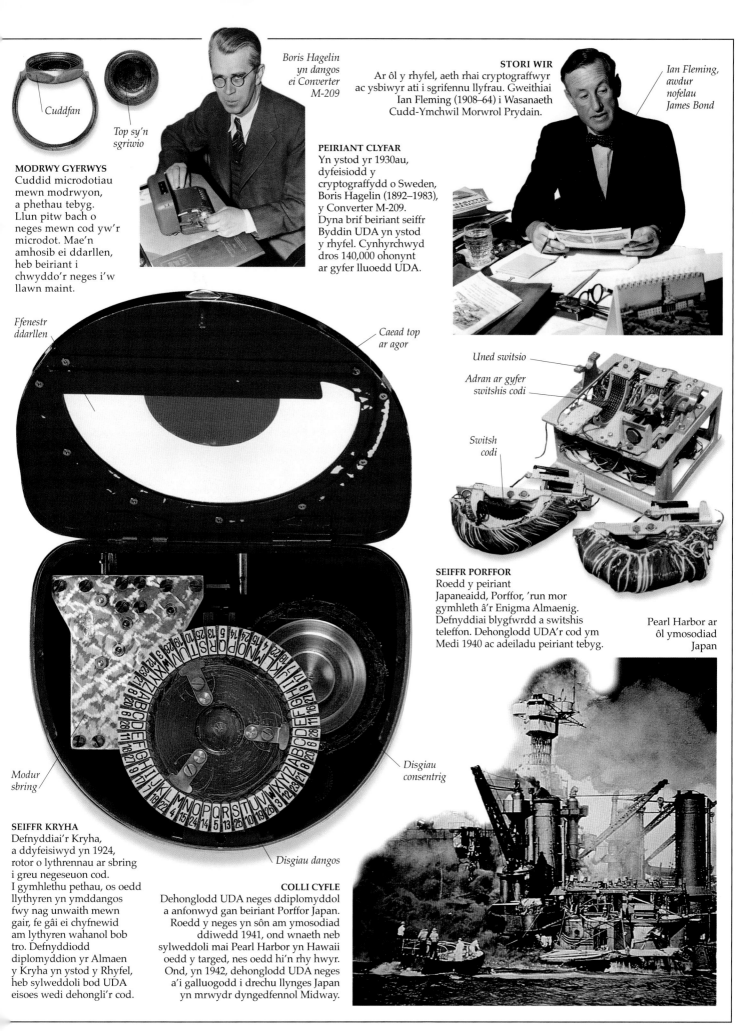

Cuddfan

Top sy'n sgriwio

MODRWY GYFRWYS
Cuddid microdotiau mewn modrwyon, a phethau tebyg. Llun pitw bach o neges mewn cod yw'r microdot. Mae'n amhosib ei ddarllen, heb beiriant i chwyddo'r neges i'w llawn maint.

Boris Hagelin yn dangos ei Converter M-209

PEIRIANT CLYFAR
Yn ystod yr 1930au, dyfeisiodd y cryptograffydd o Sweden, Boris Hagelin (1892–1983), y Converter M-209. Dyna brif beiriant seiffr Byddin UDA yn ystod y rhyfel. Cynhyrchwyd dros 140,000 ohonynt ar gyfer lluoedd UDA.

STORI WIR
Ar ôl y rhyfel, aeth rhai cryptograffwyr ac ysbiwyr ati i sgrifennu llyfrau. Gweithiai Ian Fleming (1908–64) i Wasanaeth Cudd-Ymchwil Morwrol Prydain.

Ian Fleming, awdur nofelau James Bond

Ffenestr ddarllen

Caead top ar agor

Uned switsio

Adran ar gyfer switshis codi

Switsh codi

SEIFFR PORFFOR
Roedd y peiriant Japaneaidd, Porffor, 'run mor gymhleth â'r Enigma Almaenig. Defnyddiai blygfwrdd a switshis teleffon. Dehonglodd UDA'r cod ym Medi 1940 ac adeiladu peiriant tebyg.

Pearl Harbor ar ôl ymosodiad Japan

Modur sbring

Disgiau consentrig

Disgiau dangos

SEIFFR KRYHA
Defnyddiai'r Kryha, a ddyfeisiwyd yn 1924, rotor o lythrennau ar sbring i greu negeseuon cod. I gymhlethu pethau, os oedd llythyren yn ymddangos fwy nag unwaith mewn gair, fe gâi ei chyfnewid am lythyren wahanol bob tro. Defnyddiodd diplomyddion yr Almaen y Kryha yn ystod y Rhyfel, heb sylweddoli bod UDA eisoes wedi dehongli'r cod.

COLLI CYFLE
Dehonglodd UDA neges ddiplomyddol a anfonwyd gan beiriant Porffor Japan. Roedd y neges yn sôn am ymosodiad ddiwedd 1941, ond wnaeth neb sylweddoli mai Pearl Harbor yn Hawaii oedd y targed, nes oedd hi'n rhy hwyr. Ond, yn 1942, dehonglodd UDA neges a'i galluogodd i drechu llynges Japan yn mrwydr dyngedfennol Midway.

Nofel boced ar gyfer milwyr UDA

America'n ymuno

Yn DILYN SIOC Pearl Harbor, dechreuodd yr Unol Daleithiau gynhyrchu arfau ar ras. Yn ôl yr Arlywydd Roosevelt, yr economi oedd "stordy arfau democratiaeth". Masgynhyrchodd y wlad bob math o arfau ar gyfer brwydrau tir, môr ac awyr. Gwariwyd arian mawr ar gynnyrch rhyfel, diflannodd diweithdra, dyblodd cyflogau, ac er bod peth prinder bwyd, doedd e'n ddim o'i gymharu â'r prinder mewn gwledydd eraill. Yn wahanol i bob gwlad arall oedd yn rhyfela, daeth UDA'n llewyrchus iawn, ac roedd gan fwyafrif y bobl fwy o arian i'w wario nag erioed o'r blaen.

MASGYNHYRCHU
Fe wnaeth ffatrïoedd awyrennau, fel y ffatri Boeing hon yn Seattle, gyfraniad mawr i'r frwydr. Adeiladodd ffatrïoedd UDA dros 250,000 awyren, 90,000 tanc, 350 distrywlong, a 200 llong danfor. Erbyn 1944, câi pedwar deg y cant o arfau'r byd eu cynhyrchu yno.

GWN PEIRIANT BROWNING
Y gwn peiriant Browning 0.5 oedd arf arferol awyrennau bomio'r UDA. Cariai'r Boeing B-17 Flying Fortess, er enghraifft, 13 o'r gynnau. Ond hyd yn oed pan oedd yr awyrennau bomio'n hedfan mewn clwstwr, yn aml iawn allai'r Browning ddim cystadlu ag awyrennau ymladd yr Almaen.

15fed Llu Awyr

9fed Llu Awyr

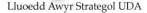

Lluoedd Awyr Strategol UDA

LLUOEDD AWYR
Mae'r bathodynnau llawes hyn yn perthyn i wahanol adrannau o Lu Awyr UDA (USAAF). Sefydlwyd y 15fed Llu Awyr i fomio targedau Almaenig o ganolfannau yn ne'r Eidal. Cefnogai'r 9fed ymgyrchoedd y Cynghreiriaid yng Ngogledd Affrica a'r Eidal. Yn ddiweddarach unodd yr 8fed, 9fed a'r 15fed i ffurfio Lluoedd Awyr Strategol UDA yn Ewrop.

YMLADD Â THÂN
Môr-filwr Americanaidd, gydag eli i warchod ei wyneb, yn defnyddio gwn tân mewn brwydr chwyrn ar Guadalcanal yn y Môr Tawel, 1942. Defnyddid y gynnau hyn yn aml i roi adeiladau ar dân, neu i losgi cnydau lle roedd y gelyn cuddio.

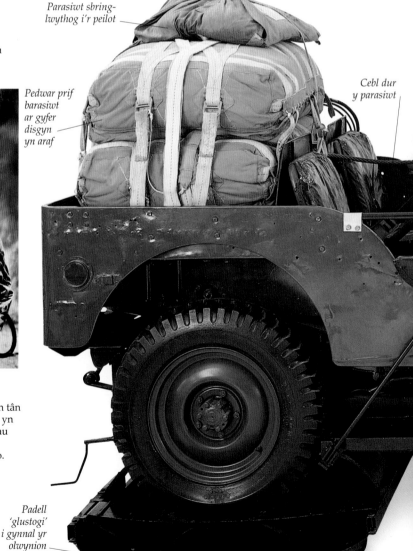

Parasiwt sbring-lwythog i'r peilot

Pedwar prif barasiwt ar gyfer disgyn yn araf

Cebl dur y parasiwt

Padell 'glustogi' i gynnal yr olwynion wrth lanio

Gallai'r Mustang hedfan am 3,347 km (2,080 milltir)

Cyflymder uchaf y Mustang oedd 703 km (437 milltir) yr awr

Gellir gollwng y tanc

SEIBIANT
Dyma beilotiaid Mustang P-51 o 15fed Llu Awyr UDA, yn cael seibiant rhwng cyrchoedd, yn eu canolfan yn ne'r Eidal.

AWYREN YMLADD
Roedd y P-51 Mustang yn un o awyrennau ymladd gorau'r rhyfel. Fedrai'r rhai cynnar ddim hedfan yn uchel nac yn bell. Ond ar ôl cael injan well, tanc mwy a chorff llai, roedd y 4ydd fersiwn (P-51 D) yn awyren ymladd wych. Byddai'n hebrwng ac amddiffyn yr awyrennau bomio ar gyrchoedd pell i'r Almaen.

Mustang P-51 D Gogledd America

B-24 LIBERATOR
Ar ôl dod yr holl ffordd o dde'r Eidal, mae'r B-24 Liberator yn hedfan yn isel dros feysydd olew Ploesti, de Romania. Awyren fomio drom oedd y B-24. Gallai hedfan yn bell, ac felly âi ar gyrchoedd dros diroedd y gelyn yn Ewrop.

Parasiwtiau ynghlwm wrth y polyn canolog hwn

Bag ar gyfer bocsys cetris gwag

Gwn peiriant

JÎP YN DISGYN
Câi jîps UDA eu gollwng ar barasiwt yn ystod ymosodiad dirgel neu laniad mawr o'r awyr. Roedd y jîp, a ddatblygwyd yn 1940, yn un o gerbydau mwyaf poblogaidd y rhyfel, a phawb yn eiddigeddus ohono. Roedd y gyriant 4-olwyn yn ei alluogi i yrru'n hawdd dros bob math o dir.

Helmed arbennig i'w gwisgo mewn tyred awyren neu unrhyw safle brwydr lle roedd yr helmed gyffredin yn rhy fawr

Helmed M4 criw awyr UDA

Gallai jîp Americanaidd gario llwyth o 360 kg (800 lb), a thynnu gwn gwrth-danc ar yr un pryd

Siaced fflac yn pwyso 9 kg (20 lb)

Crud cynhaliol

Stand ar gyfer gollwng y parasiwt

SIACEDI FFLAC
Gwisgai criw awyren Americanaidd siacedi fflac (uchod) i'w gwarchod rhag y gynnau gwrth-awyren. Dechreuwyd eu defnyddio yn 1942. Erbyn 1944, roedd yr 8fed Llu Awyr, a fu'n bomio tiroedd Almaenig yn Ewrop, yn defnyddio 13,500 ohonynt.

Merched yn gweithio

MAMAU DA?
Yn yr Almaen cyflwynid medalau i famau oedd wedi geni nifer arbennig o blant. I'r Natsïaid, dyma famau "hil y goruchaf". Anogwyd y mamau i aros gartre i fagu'u plant.

Medal arian (2il ddosbarth) i fam 6 neu 7 o blant

CYN YR AIL RYFEL BYD, roedd niferoedd mawr o ferched yn dal i weithio yn y cartref. Pan aeth y dynion i ymladd, cymerodd y merched eu lle a gwneud pob math o waith na chawson nhw gyfle i'w wneud erioed o'r blaen – casglu tocynnau ar y bysys, rheoli signalau trên, gyrru, bod yn fecanyddion, gweithwyr swyddfa, adeiladwyr llongau a pheirianwyr, er enghraifft. Hefyd fe chwaraeodd merched ran bwysig yn y gwrthsafiad ac aeth nifer ar ymgyrch i diroedd y gelyn. Heb gyfraniad y merched, fe fyddai wedi bod yn amhosib ymladd nac ennill y rhyfel. Erbyn diwedd y rhyfel, roedd yr agwedd tuag at ferched yn y gweithlu wedi newid am byth.

Hilf siegen als Luftnachrichtenhelferin

RECRIWTIO
Wrth i fwy a mwy o ddynion fynd i ymladd, defnyddiwyd posteri i ddenu merched i helpu'r ymgyrch ryfel. Cynorthwy-ydd Luftwaffe (Llu Awyr yr Almaen) yw'r ferch ddeniadol a hapus yn y llun.

Merch yn helpu i dendio awyren

MERCHED Y TIR
Gwnaeth merched waith pwysig iawn yn rhedeg ffermydd a thyfu'r bwyd oedd mor angenrheidiol. Ym Mhrydain recriwtiodd Byddin Dir y Merched tua 77,000 aelod i wneud gwaith caled fel aredig a chario gwair.

GOFALU AM AWYRENNAU
Gan fod prinder o ddynion i hedfan a gofalu am awyrennau, dysgodd merched sut i wneud y gwaith. Byddai'r merched yn hedfan awyrennau newydd o'r ffatrïoedd i'r meysydd awyr milwrol, ac yn cynnal a pharatoi awyrennau rhwng cyrchoedd.

GWNEUD PARASIWTIAU
Treuliai merched oriau hir yn gwnïo parasiwtiau. Roedd angen miloedd o barasiwtiau ar bob un o'r lluoedd arfog. Fe'u defnyddid gan beilotiaid oedd yn gorfod neidio o'u hawyrennau, a'r milwyr a gâi eu gollwng dros diroedd y gelyn.

GWYLWYR NOS
Roedd llawer o ferched yng ngofal y chwiloleuadau oedd yn sgubo'r awyr. Os dôi awyren y gelyn i'r golwg, byddai'r gynnau'n ceisio'i difa cyn iddi ollwng bomiau. Er bod rhai merched yn paratoi'r gynnau gwrth-awyren, doedd ganddyn nhw ddim hawl i'w tanio. Liw nos, roedd merched hefyd yn gweithredu fel wardeniaid cyrch-awyr.

Merch yn chwilio'r awyr am awyrennau'r gelyn

YN Y FFASIWN
Roedd pawb ym Mhrydain yn cario mwgwd nwy. Roedd perchennog y bag ffasiynol hwn yn cario'i mwgwd mewn poced arbennig yn y bag. Bocs cardfwrdd a ddefnyddid fel arfer, ond byddai rhai merched yn addurno'u bocsys â defnydd.

Poced i'r mwgwd nwy

ANGEN SOSBENNI
Gan fod prinder haearn, tun, ac alwminiwm, roedd posteri'n apelio am hen offer tŷ. Câi sosbenni eu toddi i wneud awyrennau. Defnyddid relins haearn, hen geir a metel sgrap i wneud llongau. Datodwyd hen ddillad gwlân i wneud sanau a sgarffiau i'r milwyr.

PADELL FFLIO?
Pan ddisgynnai awyren y gelyn, weithiau câi'r darnau eu hailgylchu i wneud offer cegin.

Padell ffrio a wnaed o ddarnau o awyren Almaenig

ROSIE THE RIVETER
Yn UDA, daeth y cymeriad dychmygol *Rosie the Riveter* yn symbol o'r weithwraig newydd. Yn y ffatrioedd cymerodd merched le'r 16 miliwn o Americanwyr oedd yn y lluoedd arfog. Bu'r merched yn gwneud bomiau ac awyrennau, llongau a thanciau, ac yn rhedeg y rheilffyrdd a gwasanaethau pwysig eraill.

"Rosie the Riveter" gan yr arlunydd Norman Rockwell, Saturday Evening Post, Mai 1943

PRYDAIN YN BAROD I HELPU
Oherwydd bod India'n rhan bwysig o'r Ymerodraeth roedd Prydain yn ofni ymosodiad ar India gan Japan. Mae'r merched hyn yn Bombay yn dysgu sut i helpu adeg cyrch awyr. Hyfforddwyd eraill i gynorthwyo'u milwyr yn y Dwyrain Pell.

Plant y rhyfel

DIODDEFODD PLANT ar draws y byd o effeithiau'r rhyfel. Cafodd eu cartrefi eu llosgi a'u bomio, aeth eu tadau i ymladd, ac aeth eu mamau i weithio mewn ffatrïoedd a diwydiannau rhyfel. Roedd llawer o blant ar gyfandir Ewrop ac yn nwyrain Asia yn byw mewn gwledydd a reolid gan y gelyn, neu mewn gwledydd lle'r oedd ymladd. Roedd eraill yn ofni ymosodiad. Dioddefodd un grŵp o blant yn enbyd iawn. Cafodd plant Iddewig eu dal gan yr awdurdodau Almaenig a'u gyrru i wersylloedd difa. Collodd plant o bob oedran, ar y ddwy ochr, y cyfle i gael addysg a bywyd teuluol hapus.

PLANT JAPAN
Yn ysgolion Japan, dysgai'r plant am ragoriaeth eu gwlad, a'u dyletswydd i ymladd dros yr ymerawdwr. Wrth i'r rhyfel fynd yn ei flaen, roedd ymarfer drilio'n orfodol, ac roedd gweithlu arbennig ar gyfer y plant hŷn. Erbyn 1944, roedd awyrennau UDA yn bomio dinasoedd Japan bron bob dydd. O ganlyniad, symudwyd dros 450,000 o blant o'r dinasoedd, gan adael eu rhieni ar ôl.

Fersiwn wahanol o gêm "teuluoedd dedwydd"/ "happy families"

CHWARAE CARDIAU
Cynhyrchwyd gemau a theganau ar thema'r rhyfel – gêm gardiau'r faciwî, er enghraifft. Roedd pobl yn mwynhau chwarae cardiau yn ystod yr oriau hir yn y llochesau rhag bomio.

Strap pen

Darn i warchod y llygad

Ffiltr awyr

Mwgwd nwy "Mickey Mouse"

MYGYDAU PLANT
Cynhyrchwyd mygydau nwy doniol *Mickey Mouse* ar gyfer plant bach. Dysgwyd plant ysgol i gario mwgwd bob amser a dangoswyd sut i'w wisgo ar ras.

Label sy'n dangos i ble mae hi'n mynd

Dwy ferch yn disgwyl cael eu cludo i'w cartrefi newydd yn y wlad

FACIWÎS
Gwahanwyd plant oddi wrth eu rhieni ledled y byd. Yn ystod y Blitz, aeth miloedd o blant Prydain i fyw mewn cartrefi maeth yn yr ardaloedd gwledig neu hyd yn oed dros y môr. Cafodd rhai amser braf, ond roedd hiraeth mawr ar lawer.

Câi pob faciwî fynd â'i hoff degan

MILWYR BACH

Wrth i fyddin yr Almaen ymosod ar Rwsia yn 1941, collodd llawer o blant eu rhieni a'u cartref. Ymunodd rhai â grwpiau partisan i ymladd yr Almaenwyr. Byddai plant – rhai'n ddim ond 10 oed – yn cario negeseuon, nôl nwyddau, a hyd yn oed yn ymosod yn y dirgel a dinistrio eiddo.

Bachgen arfog yn Leningrad, Rwsia, 1943

CUDDIO

Fel pob plentyn Iddewig, roedd Anne Frank (1929-1945) mewn perygl enbyd o gael ei dal gan y Natsïaid a'i gyrru i wersyll crynhoi. Am ddwy flynedd, fe guddiodd hi a'i theulu mewn atig yn yr Iseldiroedd. Yno bu'n cadw cofnod o'i bywyd bob dydd a'i gobeithion am y dyfodol. Yn Awst 1944, bradychwyd y teulu . Bu Anne farw o deiffws yng ngwersyll crynhoi Belsen, Mawrth 1945.

TEGAN NATSI

Roedd propaganda'n effeithio ar bob agwedd o fywyd yr Almaen. Roedd hyd yn oed teganau, fel y model hwn, yn canmol yr "Ariad " (gwallt golau a llygaid glas), ac yn darostwng Iddewon. Dysgai plant mai Almaenwyr oedd hil y goruchaf.

TEGANAU PAPUR

Yn ystod y rhyfel, roedd teganau'n brin yn Ewrop, am fod y ffatrïoedd arfau a pheiriannau'n llyncu'r deunyddiau crai. Chwaraeai'r plant â theganau syml o gardfwrdd neu bapur.

Anifeiliaid gwyllt wedi'u gwneud o bapur

Cerdyn aelodaeth Ieuenctid Hitler

NATSÏAID IFANC

Perthynai bechgyn yr Almaen i Ieuenctid Hitler, adran o'r Blaid Natsïaidd a ffurfiwyd yn 1926 (perthynai'r merched i Urdd Merched yr Almaen). Roedd yr aelodau'n gwisgo iwnifform, yn paredio, ac yn cynnal gwersylloedd haf. Yn 1943, cafodd aelodau dros 16 oed eu galw i'r fyddin. Roedd y rhai iau'n helpu ar ffermydd neu'n dosbarthu llythyron.

GORFOD DILYN HITLER

Ar y cychwyn, doedd dim rhaid i neb ymuno ag Ieuenctid Hitler. Diddymwyd pob grŵp ieuenctid arall yn 1936. Daeth yn orfodol i bawb rhwng 10 ac 18 oed ymuno ag Ieuenctid Hitler.

Brwydr y Môr Tawel

AR ÔL YR YMOSODIAD SYDYN ar Pearl Harbor yn Rhagfyr 1941, dylifodd lluoedd Japan dros dde-ddwyrain Asia ac ynysoedd y Môr Tawel. Erbyn Mai 1942, roedden nhw wedi goresgyn Burma, Malaya, India'r Dwyrain Iseldirol, Singapore, y Philipinau, ac yn symud fesul ynys ar draws y Môr Tawel tuag at Awstralia yn y de ac UDA yn y dwyrain. Eu bwriad oedd sefydlu ymerodraeth economaidd fawr fyddai'n sicrhau digon o olew a deunyddiau crai i alluogi Japan i gryfhau ei nerth milwrol. Ond yn dilyn dwy frwydr forwrol enfawr – yn y Môr Cwrel ym Mai 1942 ac ym Midway (yng nghanol y Môr Tawel) ym Mehefin 1942 – ataliwyd Japan. Brwydrodd lluoedd UDA a'i chynghreiriaid am hir i drechu'r gelyn, a dioddefodd y ddwy ochr golledion enbyd.

BANER WEDDI
Roedd pob ymladdwr Japaneaidd yn cario baner weddi i'r frwydr. Ysgrifennai ffrindiau a theulu weddïau a bendithion ar gefndir gwyn baner Japan. Doedden nhw byth yn ysgrifennu ar lun yr haul, am fod hwnnw'n gysegredig. Gwisgai rhai'r baneri am eu pennau, neu eu cario yn eu pocedi.

LLONG AWYRENNAU
Dyma awyrennau bomio torpido Douglas Devastator yn paratoi i hedfan oddi ar fwrdd yr *USS Enterprise* ym Mrwydr Midway. Roedd y Devastators yn hen ac afrosgo. Fedren nhw ddim cystadlu ag awyrennau ymladd cyflym Japan, y Mitsubishi A6M Zero. Dim ond pedair o awyrennau'r *Enterprise* oroesodd y frwydr. Serch hynny, fe drechwyd Japan ym Midway.

Awyrennau bomio Douglas Devastator yn paratoi i hedfan

BRWYDR Y MÔR CWREL
Darnau o awyren Japaneaidd yn arnofio yn y Môr Cwrel (i'r gogledd-ddwyrain o Awstralia). Roedd y Japaneaid yn ceisio cipio ynysoedd, er mwyn i'w hawyrennau gael hedfan oddi yno i ymosod ar Awstralia. Fe'u hataliwyd gan lynges UDA ym Mai 1942. Awyrennau'r ddwy lynges fu'n ymladd – nid y llongau. Hon oedd y frwydr gyntaf o'i bath.

Awyren Japaneaidd wedi'i saethu i lawr

BRWYDR AM YNYS GUADALCANAL

Awyrennau Japaneaidd yn tanio ar *Hornet*, llong awyrennau UDA, ym Mrwydr Santa Cruz, Hydref 1942. Ymladdwyd nifer o frwydrau morwrol ger Guadalcanal (un o Ynysoedd Solomon i'r dwyrain o Gini Newydd), wrth i UDA a Japan geisio cipio'r ganolfan strategol hon. Ar ôl brwydro'n ffyrnig i ddal eu gafael ar yr ynys, gyrrwyd y Japaneaid oddi arni yn Chwefror 1943.

YMOSODIADAU HUNANLADDIAD

Yn ystod y frwydr ffyrnig am y Philipinau, Hydref 1944, defnyddiodd y Japaneaid arf brawychus a newydd sbon. Gwirfolodd uned arbennig o beilotiaid (Kamikaze) i ddisgyn mewn awyrennau llawn ffrwydron ar fyrddau llongau rhyfel UDA a'u chwythu i fyny. Doedd dim prinder Kamikazes – ymosododd 700 ar lynges UDA ger Okinawa ar 6 Ebrill 1945.

Deial yn dangos graddau i'r de a'r gogledd o'r cyhydedd

SECSTANT JAPANEAIDD

Roedd angen secstantau ar lynges Japan i'w llywio ar hyd a lled y Môr Tawel. Llynges Japan oedd y drydedd o ran maint, ar ôl Prydain ac UDA. Roedd ganddi 10 llong awyrennau, 12 llong ryfel enfawr, 36 criwser, dros 100 o ddistrywlongau, a llu awyr morwrol cryf dros ben.

Sylladur cymwysadwy

Secstant morwrol Japaneaidd i fesur lledred (pellter i'r de neu'r gogledd)

Drych gorwel

Peilot Kamikaze yn clymu hachimaki am ei ben

WGWD HEDFAN

visgai peilot
paneaidd fwgwd
dr i warchod
wyneb.
rychai'n
y ffyrnig
g erioed
ei
gwd.
hydig
eilotiaid
odd eu dal
n y
nghreiriaid.
edd yn well
ddyn nhw ladd
hunain nag ildio.

PEILOT *KAMIKAZE*

Gwirfoddolai peilotiaid Japan i fynd ar gyrchoedd Kamikaze, er eu bod yn sicr o farw. Ystyr kamikaze yw "gwynt dwyfol". Roedd rhai'n ei hystyried yn fraint i farw dros eu hymerawdwr, ac eraill yn dilyn hen draddodiad milwrol o hunanaberth. Gwisgent *hachimaki* (lliain pen) y samurai, ymladdwyr ffyrnig y Canol Oesoedd.

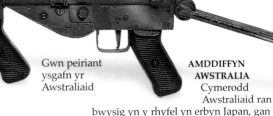

Japan yn ymladd

Gwn peiriant ysgafn yr Awstraliaid

Baner llyngesol a milwrol Japan

DRWY GYDOL Y RHYFEL, roedd ymerodraeth Japan yn ymladd ar dri ffrynt. Yn y gogledd, roedd byddinoedd Chineaidd yn brwydro i yrru'r Japaneaid o'u gwlad. Yn y de a'r dwyrain, roedd lluoedd UDA, Awstralia a Seland Newydd yn ceisio gyrru'r Japaneaid o ynysoedd y Môr Tawel, ac yna sefydlu'u canolfannau'u hunain yn agos i Japan. Yn Burma yn y de-orllewin, roedd "rhyfel anghofiedig" y jyngl. Yno ymladdai byddin Prydain a'r Chindits (carfan o filwyr Prydeinig a Byrmanaidd) dan arweiniad yr Uwch-frigadydd Orde Wingate, i ryddhau Burma o law'r Japaneaid. Roedd y Japaneaid yn anodd eu curo, gan eu bod yn fodlon ymladd hyd at farwolaeth.

Milwr Japaneaidd yn cario baner y "Codiad Haul"

AMDDIFFYN AWSTRALIA
Cymerodd Awstraliaid ran bwysig yn y rhyfel yn erbyn Japan, gan fod Japan yn ennill tiroedd yn ne-ddwyrain Asia, ac felly'n bygwth eu gwlad. Fe rwystron nhw Japan rhag goresgyn Papua Gini Newydd yn 1942, ac fe ymladdon nhw ochr yn ochr â'r Americaniaid i ryddhau Gini Newydd ac ynysoedd eraill.

DOGN 24 AWR
Câi milwyr Prydain yn y Môr Tawel a de-ddwyrain Asia becyn o fwyd (uchod). Doedd y bwyd ddim yn gyffrous, ond roedd yn ddigon i gynnal y milwr am ddiwrnod crwn.

MILWYR FFYDDLON
Roedd dros 1,700,000 o filwyr Japaneaidd yn dilyn Cod Milwr 1942, yn seiliedig ar hen God Bushido (ymladdwr) y samurai. Yn ôl y Cod, rhaid i filwr fod yn ffyddlon bob amser i'w ymerawdwr, a marw yn hytrach nag ildio i'r gelyn. O ganlyniad, roedd llawer o'r Japaneaid yn ymladdwyr ffanatigaidd, ac yn benderfynol o ennill ar bob cyfrif.

Teleffon maes Byddin UDA

TELEFFON MAES
Defnyddiai milwyr y Cynghreiriaid a Japan deleffonau i gadw mewn cysylltiad â swyddogion ac eraill. Gan fod y Japaneaid yn symud mor gyflym ar draws de-ddwyrain Asia a'r Môr Tawel, roedd hi'n bwysig bod milwyr yn hysbysu'u penaethiaid o'u lleoliad, a hefyd leoliad y gelyn.

RHYDDHAU BURMA
Ymladdwyd y frwydr dyngedfennol yn y rhyfel hwn ar yr heol rhwng Kohima ac Imphal, dwy ddinas Indiaidd ger y ffin â Burma. Roedd y Prydeinwyr wedi defnyddio Imphal fel canolfan ers iddyn nhw gael eu gyrru o Burma gan y Japaneaid ym Mai 1942. Penderfynodd Japan ddod dros y ffin ym Mawrth 1944. Ymladdodd lluoedd Prydain ac India (ar y dde) yn eu herbyn a threchu 80,000 o Japaneaid. Dyna ddechrau'r broses o ryddhau Burma, a gwblhawyd ym Mai 1945.

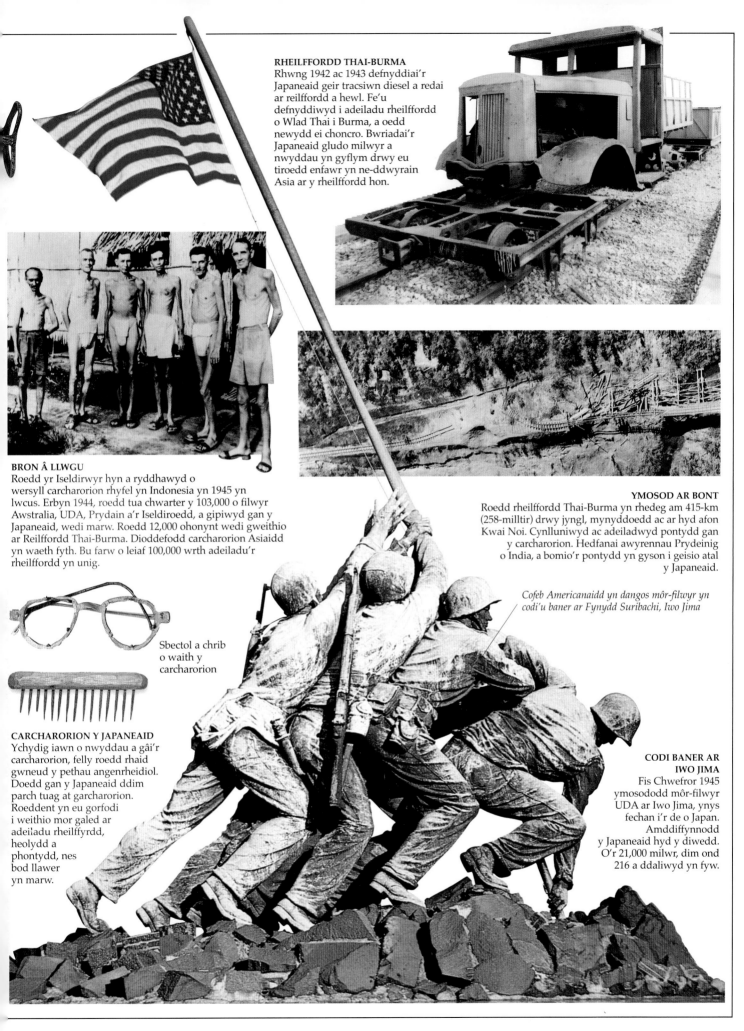

RHEILFFORDD THAI-BURMA
Rhwng 1942 ac 1943 defnyddiai'r Japaneaid geir tracsiwn diesel a redai ar reilffordd a hewl. Fe'u defnyddiwyd i adeiladu rheilffordd o Wlad Thai i Burma, a oedd newydd ei choncro. Bwriadai'r Japaneaid gludo milwyr a nwyddau yn gyflym drwy eu tiroedd enfawr yn ne-ddwyrain Asia ar y rheilffordd hon.

BRON Â LLWGU
Roedd yr Iseldirwyr hyn a ryddhawyd o wersyll carcharorion rhyfel yn Indonesia yn 1945 yn lwcus. Erbyn 1944, roedd tua chwarter y 103,000 o filwyr Awstralia, UDA, Prydain a'r Iseldiroedd, a gipiwyd gan y Japaneaid, wedi marw. Roedd 12,000 ohonynt wedi gweithio ar Reilffordd Thai-Burma. Dioddefodd carcharorion Asiaidd yn waeth fyth. Bu farw o leiaf 100,000 wrth adeiladu'r rheilffordd yn unig.

Sbectol a chrib o waith y carcharorion

CARCHARORION Y JAPANEAID
Ychydig iawn o nwyddau a gâi'r carcharorion, felly roedd rhaid gwneud y pethau angenrheidiol. Doedd gan y Japaneaid ddim parch tuag at garcharorion. Roeddent yn eu gorfodi i weithio mor galed ar adeiladu rheilffyrdd, heolydd a phontydd, nes bod llawer yn marw.

YMOSOD AR BONT
Roedd rheilffordd Thai-Burma yn rhedeg am 415-km (258-milltir) drwy jyngl, mynyddoedd ac ar hyd afon Kwai Noi. Cynlluniwyd ac adeiladwyd pontydd gan y carcharorion. Hedfanai awyrennau Prydeinig o India, a bomio'r pontydd yn gyson i geisio atal y Japaneaid.

Cofeb Americanaidd yn dangos môr-filwyr yn codi'u baner ar Fynydd Suribachi, Iwo Jima

CODI BANER AR IWO JIMA
Fis Chwefror 1945 ymosododd môr-filwyr UDA ar Iwo Jima, ynys fechan i'r de o Japan. Amddiffynnodd y Japaneaid hyd y diwedd. O'r 21,000 milwr, dim ond 216 a ddaliwyd yn fyw.

41

Brwydr yr Iwerydd

GROW YOUR OWN FOOD
supply your own cookhouse

DRWY GYDOL Y RHYFEL, ymladdodd y Cynghreiriaid a'r Almaen frwydr ffyrnig yn nyfroedd rhewllyd Gogledd yr Iwerydd. Wrth i longwyr y Cynghreiriaid ymdrechu'n ddewr, drwy bob tywydd, i gludo nwyddau angenrheidiol o UDA i Brydain, byddai llongau tanfor a distrywlongau'r Almaen yn ymosod. Er mai llynges fach oedd gan yr Almaen o'i chymharu â llynges y Cynghreiriaid, roedd ei llongau tanfor yn beryglus dros ben. Suddwyd dros 2 filiwn o dunelli metrig o longau'r Cynghreiriaid ym mhedwar mis cyntaf 1941 yn unig, a thros 5.4 miliwn tunnell fetrig yn 1942. Yna, drwy ddefnyddio system gonfoi, awyrennau gwylio, llongau rhyfel allai ymateb yn gyflym, a datblygu'u radar, llwyddodd y Cynghreiriaid i wella'r sefyllfa. Ddechrau 1943 collodd yr Almaen 95 llong danfor mewn tri mis. Roedd yr Iwerydd yn fwy diogel unwaith eto.

PALU AC ENNILL
Roedd hi'n anodd cael bwyd o dramor yn ystod y rhyfel. Ym Mhrydain, i sicrhau cyflenwad digonol o ffrwythau a llysiau, lansiwyd ymgyrch *Dig for Victory*, i annog pobl i'w tyfu. Plannwyd llysiau ar bob darn sbâr o dir ffrwythlon, gan gynnwys parciau a gerddi.

Roedd ganddi 20 gwn allai danio'n bell, a 68 gwn gwrth-awyren

SUDDO'R BISMARCK
Un o longau rhyfel mwya'r Almaen oedd y *Bismarck*. Yn ôl yr Almaenwyr allai neb ei suddo. Hwyliodd y llong o Gdynia yn y Baltig ar 18 Mai 1941, a suddo'r llong Brydeinig HMS Hood uwchben Ynys yr Iâ. Yna fe'i daliwyd a'i dinistrio gan lynges Brydeinig ar 27 Mai. O'r criw o 2,222, dim ond 115 oroesodd.

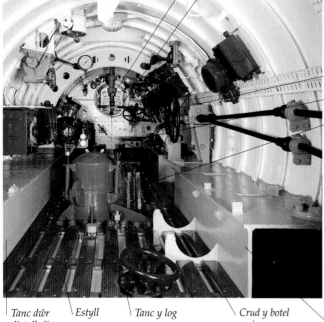

Perisgop

Allanfa gwlyb-a-sych a siambr ail-fynediad

Prif olwyn lywio

Sedd y llywiwr

Ffrâm sedd y lefftenant

LLONG GORRACH
Criw o 4 oedd gan y llong danfor X-craft Brydeinig hon. Er mor fach oedd hi, fe chwaraeodd ran fawr ym Mrwydr yr Iwerydd. Gan ddefnyddio ffrwydron, fe lwyddodd un i achosi difrod mawr i'r llong ryfel Almaenig, *Tirpitz*, ger arfordir Norwy ym Medi 1943. Gallai'r *Tirpitz* fod wedi ymosod ar y confois Prydeinig ar eu ffordd i'r Undeb Sofietaidd.

Perisgop

Y BIBER
Roedd 2 dorpido gan y llong danfor Almaenig, Biber. Rhwng 1944 ac 1945 hwyliai'r Bibers ger arfordir gogledd Ffrainc a'r Iseldiroedd, gan achosi llawer o ddifrod i longau'r Cynghreiriaid oedd yn cludo nwyddau ar draws y Sianel i'w lluoedd yn Ewrop.

Ffenest

Tanc dŵr distylledig

Estyll pren

Tanc y log

Crud y botel ocsigen

Tanc dŵr croyw

Twll ar gyfer tynnu

Pen ffrwydrol

> *"Fe saliwtion ni, cipedrych ar y faner, a neidio…Yn y dŵr fe wthiwyd ni at ein gilydd, wrth i ni symud lan a lawr fel cyrc."*
>
> *LEFFTENANT BURKHARD VON MULLENHEIM-RECHBERG, UN O GRIW'R BISMARCK*

CODI'R PERISGOP
Llechai'r llong danfor yn weddol ddiogel dan wyneb y dŵr, lle gallai'r criw wylio confois y Cynghreiriaid drwy'r perisgop a phenderfynu ar darged eu gynnau a'u torpidos. Pan oedd y llong yn agos iawn i'r wyneb neu'n codi, roedd hi'n weladwy o'r awyr. Dinistriwyd sawl un gan awyrennau'r Cynghreiriaid.

Swyddog llong danfor Almaenig yn defnyddio perisgop i chwilio am longau'r gelyn

Hyd y llong: 251 m (823 tr)

Gwn yn barod i danio ar longau'r gelyn

YMOSODIADAU!
Dim ond 30 o griw'r llong danfor Almaenig hon oroesodd yr ymosodiad gan un o longau llynges UDA. O dan y tonnau gellid dinistrio'r llong danfor â bomiau tanddwr a ollyngid gan longau ac awyrennau. Ar yr wyneb roedd bomiau, torpidos a sieliau'n bygythiad, a ffrwydrynnau mewn dŵr bas. Dim ond 11,000 o'r 39,000 llongwr tanfor Almaenig oroesodd y rhyfel.

Morwr, ar long ryfel sy'n hebrwng y confoi, yn gwylio am awyrennau'r gelyn

Torpido

Llyw

Propelor

CONFOI'R IWERYDD
Roedd llong unigol yn darged hawdd i'r llongau tanfor. Fel canlyniad, croesai'r llongau masnach Ogledd yr Iwerydd mewn confois mawr, gyda llongau rhyfel yn eu gwarchod, ac weithiau awyrennau. Collodd llawer o forwyr eu bywydau.

Ar y ffordd i Stalingrad

Bathodyn efydd
ymosodiad tanc
(Almaenig)

GORESGYNNODD YR ALMAEN yr Undeb Sofietaidd yn 1941, gan symud i dri chyfeiriad – i'r gogledd i Leningrad, i'r dwyrain tua Moscow, ac i'r de tuag at gaeau ŷd a meysydd olew Wcráin a'r Cawcasws. I lwyddo yn y de, roedd rhaid cipio Stalingrad ar yr afon Volga. Roedd hon yn ddinas bwysig iawn i Hitler gan ei bod yn dwyn enw Stalin, yr arweinydd Sofietaidd. Roedd Stalin yr un mor benderfynol o'i hamddiffyn. Roedd y frwydr yn ffyrnig, a dioddefodd y ddwy ochr golledion enbyd. Dinistriwyd byddin yr Almaen a'i gorfodi i ildio yn gynnar yn 1943. Roedd hwn yn drobwynt yn y rhyfel. O'r diwedd roedd modd gorchfygu byddin yr Almaen.

YN YR EIRA
Roedd hi'n anodd i'r ddwy ochr yn yr Undeb Sofietaidd o achos yr oerfel. Doedd yr Almaenwyr ddim wedi paratoi ar gyfer gaeaf mor rhewllyd. Roedd y Sofietiaid yn fwy cyfarwydd â'r tywydd. O dan eu siwtiau cuddliw gwyn gwisgent siwtiau cwiltiog. Hefyd gwisgent hetiau ffwr ac esgidiau ffelt.

ARFAU'R FYDDIN GOCH
Yn ystod y rhyfel, defnyddiwyd miloedd o ynnau peiriant ysgafn, fel y PPSh-1941, gan y Fyddin Goch. Caent eu cynhyrchu'n rhad ac yn gyflym a'u defnyddio i ymladd wyneb yn wyneb.

Triger

Anely blaen cycyli

Carn llaw flaen

Gwn peiriant ysgafn Sofietaidd

Carn llaw

Carn ysgwydd

GRENADAU LLAW
Defnyddiwyd grenadau llaw g y Sofietiaid i atal y gelyn yn Stalingrad. Tynnodd rhai'r pin â'u dannedd ar ôl cael eu hana

GWN I BAWB
Cariai swyddogion Sofietaidd, awyrenwyr a chriwiau tanc y pistol lled-awtomatig 7.62 mm (0.3-modfedd) Tokarev TT33 hwn. Os câi tanc ei daro, gallai'r criw amddiffyn eu hunain.

BRWYDR STALINGRAD
Cychwynnodd Brwydr Stalingrad yn Awst 1942. Ymosododd 6ed Byddin yr Almaen o'r gorllewin a gorfodi'r amddiffynwyr i gilio i res gul o dai a ffatrïoedd ar hyd afon Volga. Gwrthymosododd y Sofietiaid ar 19 Tachwedd gan amgylchynu'r 6ed Fyddin. Ceisiodd yr Almaenwyr achub eu byddin, ond gorfodwyd nhw i ildio ar 2 Chwefror 1943.

YMLADD O DŶ
Brwydrodd yr Almaenwyr Sofietiaid am bob adeilad Stalingrad. Weithiau byd milwyr y ddwy ochr ar y llawr. Roedd rhaid yml wyneb yn wyneb, ac an saethwyr cudd at unrhyw oedd yn codi'i

MARCHOGLU

Gallai marchoglu'r Fyddin Goch symud yn gyflym i gefnogi'r milwyr troed yn y llinell flaen. Defnyddiai'r ddwy ochr geffylau i dynnu magnelau a cheirt nwyddau, ond yn y gaeaf doedd ceffylau fawr o help, gan eu bod yn suddo yn y mwd a'r eira.

Milwyr Almaenig yn dioddef yn y gaeaf garw

...archoglu'r ...ddin Goch yn ...wifio'u cleddyfau ...th ymosod ...wy'r eira

Roedd gwn 85-mm (3.3 modfedd) ar y T-34 ar ôl 1943.

COLLEDION

Daliwyd a charcharwyd tua 91,000 o filwyr Almaenig ar ddiwedd Brwydr Stalingrad. Collodd y ddwy ochr tua 500,000 o filwyr yr un. Amcangyfrifir bod tua 2 filiwn o boblogaeth Stalingrad wedi colli'u bywydau hefyd. Yn rhyfedd iawn, arhosodd 10,000 yn y ddinas, a goroesi.

...ANC CRYF

...Roedd y tanc ...ofietaidd T-34, ... gynlluniwyd yn 1939, ...'n gaffaeliad mawr i'r ...yddin Goch. Adeiladwyd ...9,698 rhwng 1941 ac 1945. ...nddo roedd criw o bump – ...omander, dau ynnwr, llwythwr ... gyrrwr – yn rhannu man cyfyng ...awn. Gallai'r tanc gyrraedd ...yflymder o 51 km (32 milltir) yr ...wr, a theithio am 400 km (250 milltir) ...eb ail-lenwi â diesel. Allai'r tanciau ...lmaenig ddim cystadlu â'r T-34 a oedd ...n gyflymach ac yn tanio'n bellach.

Esgidiau gwellt a wisgwyd gan wylwyr Almaenig yn yr Undeb Sofietaidd

Gwn mewn tyred sy'n symud

Injan diesel T-34 sy'n gweithio'n dda yn yr oerfel

Pwysau: 32,514 kg (32 tunnell)

EWINRHEW

Gwnaeth milwyr Almaenig esgidiau o wellt mewn ymdrech ofer i gadw'u traed yn gynnes a sych. Dioddefodd llawer o ewinrhew yn yr Undeb Sofietaidd. Doedd eu dillad arferol ddim yn ddigon cynnes. Roedd eu hesgidiau'n gollwng dŵr, a chan eu bod mor dynn, fedrai'r milwyr ddim gwisgo haenau o sanau.

Traciau llydan sy'n medru croesi tir meddal, anwastad

Yn yr Undeb Sofietaidd

CAFODD Y RHYFEL effaith ddofn ar yr Undeb Sofietaidd. Er ei bod wedi paratoi ers dwy flynedd, roedd y dinistr a'r dioddefaint yn syfrdanol. Symudwyd 1,500 o'i ffatrïoedd yn eu crynswth gannoedd o gilomedrau i'r dwyrain dros fynyddoedd yr Wral, er mwyn eu gwarchod rhag ymosodiad. Fe'u dilynwyd gan 6 miliwn o weithwyr. Dioddefodd miliynau eraill dan gaethiwed yr Almaenwyr, neu farw yn y gwersylloedd gwaith. Bu farw cyfanswm o 20 miliwn o Sofietiaid. Ond daeth y boblogaeth at ei gilydd i achub eu gwlad, a gweithio i sicrhau buddugoliaeth yn y "Rhyfel Mawr Gwladgarol".

GWRTHSEFYLL
"Curwch y gelyn yn ddidrugaredd!" oedd y neges ar boster yn annog Sofietiaid yn y gwledydd dan reolaeth yr Almaen i ymuno â'r partisaniaid. Cuddiai'r partisaniaid mewn coedwigoedd ac ymosod ar gonfois, cadlysoedd a llinellau cyfathrebu'r Almaenwyr.

Trigolion Leningrad yn ymadael â'u cartrefi a ddinistriwyd gan fomiau Almaenig

Seren Goch   Baner Goch

MEDALAU'R FYDDIN GOCH
Y prif fedalau a gyflwynid i filwyr Sofietaidd oedd Arwr yr Undeb Sofietaidd ac Urddau'r Faner Goch a'r Seren Goch. Sefydlodd Stalin Urddau Kutuzov a Suvorov, a enwyd ar ôl dau gadlywydd o'r 19fed ganrif a drechodd ymosodiadau gan Bwyliaid, Tyrciaid a Ffrancwyr cyfnod Napoleon.

DŴR YN BRIN
Yn ystod gaeaf 1941, disgynnodd y tymheredd yn Leningrad i -40°C (-40°F). Roedd bwyd yn brin a rhewo y cyflenwad dŵr. Roedd rhaid toddi rhew ac eira. Med un o'r bobl leol, "Fedren ni ddim 'molchi. Roedden ni'n rhy wan i wneud dim ond chwilio am ddŵr i'w yfed."

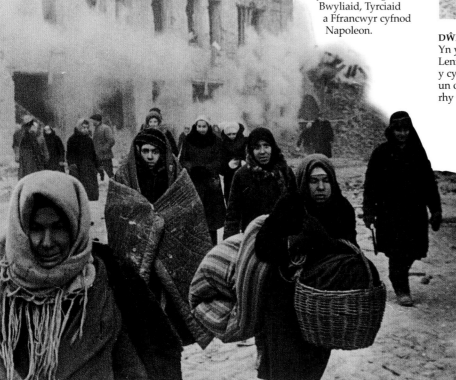

GWARCHAE LENINGRAD
Hwn oedd gwarchae hira'r rhyfel. Amgylchynodd lluoedd yr Almaen, gyda chefnogaeth y Ffiniaid, ddinas Sofietaidd Leningrad ym Medi 1941. Roedd y Ffindir wedi ymuno â'r rhyfel i ddial ar y Sofietiaid am eu concro y flwyddyn gynt. Gollyngodd yr Almaenwyr dros 100,000 bom a 200,000 siel ar Leningrad. Er iddyn nhw ladd 200,000 o'r dinasyddion, chipion nhw mo'r ddinas. Codwyd y gwarchae gan y Fyddin Goch, yn Ionawr 1944. Roedd wedi parhau am 890 diwrnod.

Casglu bresych yn un o sgwarau Leningrad

BWYDO'R DDINAS
Newyn ac oerfel oedd y bygythiad mwyaf i bobl Leningrad yn ystod y gwarchae. Defnyddiwyd pob darn sbâr o dir i dyfu bwyd, fel bresych a thatws, ond roedd rhaid dogni'r bwyd yn ofalus. Bu farw dros 630,000 o sifiliaid o newyn ac oerfel enbyd.

Pobl yn llochesu yng ngorsaf Metro Mayakovsky, Moscow

YMOSOD AR MOSCOW
Yn Hydref 1941, pan ymosododd yr Almaenwyr ar ddinas Moscow, aeth llawer i gysgodi yn yr orsaf Metro. Ceisiodd eraill ddianc. Ond roedd yr Almaenwyr yn brin o nwyddau ac yn methu dygymod â'r gaeaf oer. Yn Rhagfyr 1941 gwrthymosododd y Sofietiaid a chiliodd yr Almaenwyr. Roedd prifddinas yr Undeb Sofietaidd yn ddiogel.

Neges y poster hwn, yn 1942, yw "Dilynwch esiampl y gweithiwr hwn, a chynhyrchu mwy o nwyddau ar gyfer y ffrynt"

SAETHWYR CUDD
Roedd saethwyr cudd y Fyddin Goch yn arwyr i bawb, yn enwedig yn Stalingrad. Byddai'r saethwyr yn targedu'r gelyn, un ar y tro. Ar ôl lladd 40, câi'r saethwr ei alw'n "saethwr uchelwrol".

Reiffl saethwyr cudd yr Undeb Sofietaidd

MWY A MWY!
Er mai dyn ifanc sydd ar y poster hwn, erbyn diwedd y rhyfel merched oedd dros hanner y gweithlu Sofietaidd. Chwaraeodd sifiliaid ran bwysig iawn yn y fuddugoliaeth ar Hitler, gan weithio'n galed i gynhyrchu mwy o arfau a nwyddau angenrheidiol.

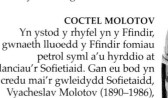

COCTEL MOLOTOV
Yn ystod y rhyfel yn y Ffindir, gwnaeth lluoedd y Ffindir fomiau petrol syml a'u hyrddio at danciau'r Sofietiaid. Gan eu bod yn credu mai'r gwleidydd Sofietaidd, Vyacheslav Molotov (1890–1986), oedd yn dweud celwydd am y rhyfel, fe alwon nhw'r bomiau'n goctels Molotov.

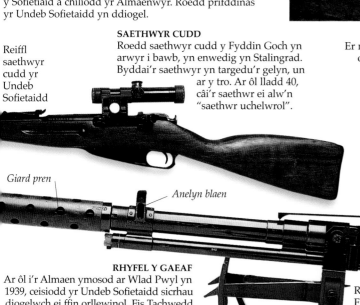

Giard pren

Anelyn blaen

RHYFEL Y GAEAF
Ar ôl i'r Almaen ymosod ar Wlad Pwyl yn 1939, ceisiodd yr Undeb Sofietaidd sicrhau diogelwch ei ffin orllewinol. Fis Tachwedd 1939, ymosododd ar ei chymydog orllewinol, y Ffindir. Ymladdodd y Ffindir yn ddewr, ond ym Mawrth 1940, fe'u gorfodwyd i dderbyn cytundeb heddwch, ac ildio tir. Collodd y Ffiniaid 25,000 o ddynion, ond collodd y Sofietiaid dros 80,000, gan ddangos gwendid y Fyddin Goch.

Reiffl wrth-danc Ffinnaidd Lahti 20-mm (0.8 modfedd) L39

Carn boch pren

Pad adlam rwber

Ymladd yn yr anialwch

YM MEHEFIN 1940, dan arweiniad Mussolini, ymunodd yr Eidal â'r rhyfel o blaid yr Almaen. Fis Medi, ymosododd ar yr Aifft o'i threfedigaeth, Libya. O fewn misoedd roedd byddin Prydain wedi trechu'r Eidalwyr, a dal 130,000 o'r milwyr. Dychrynodd yr Almaen a dechrau gyrru lluoedd i Ogledd Affrica yn Chwefror 1941. Am bron dwy flynedd, fe fu brwydro ar draws yr anialwch nes i 8fed Fyddin Prydain gael buddugoliaeth ysgubol dros yr Afrika Korps Almaenig yn El Alamein fis Tachwedd 1942. Yn yr un mis glaniodd lluoedd UDA a Phrydain yn Algeria a Morocco. Fe symudon nhw tua'r dwyrain ac amgylchynu'r Almaenwyr oedd yn cilio tua'r gorllewin. Erbyn Mai 1943, roedd yr Afrika Korps, ynghyd â'r Eidalwyr, wedi gorfod ildio. Gallai'r Cynghreiriaid ganolbwyntio ar Ewrop unwaith eto.

CADNO CYFRWYS
Cadno'r Anialwch oedd llysenw'r Cadlywydd Almaenig Erwin Rommel (1891–1944), chwith, arweinydd yr Afrika Korps. Gallai asesu sefyllfa'n gyflym a synhwyro gwendidau'r gelyn. Roedd Almaenwyr yn ei barchu – a Phrydeinwyr hefyd, am ei fod yn trin carcharorion yn dda. Yn 1944, lladdodd Rommel ei hun, pan gysylltwyd e â'r cynllwyn i lofruddio Hitler.

BRWYDR TOBRUK
Yn ystod y rhyfel bu brwydro chwyrn ym mhorthladd Tobruk ar y Môr Canoldir, yn nwyrain Libya. Roedd y ddinas dan reolaeth yr Eidalwyr, nes i Brydain ei chipio yn gynnar yn 1941. Amgylchynwyd y ddinas gan yr Almaenwyr a'i chipio ym Mehefin 1942. Ailgipiwyd hi gan Brydain fis Tachwedd 1942 ar ôl El Alamein.

Milwyr Prydain yn cropian dros y tywod yn El Alamein

BRWYDR EL ALAMEIN
Erbyn Hydref 1942, roedd Afrika Korps yr Almaen wedi cyrraedd El Alamein ar yr arfordir. Drwy El Alamein gellid cyrraedd yr Aifft a Chamlas Suez (môr-lwybr rhyngwladol yn cysylltu'r Môr Canoldir â'r Môr Coch), felly roedd hi'n dref bwysig. Bu brwydr yno rhwng yr Afrika Korps ac 8fed Fyddin Prydain. Ar ôl 12 diwrnod o frwydro chwyrn rhwng troedfilwyr, tanciau a gynnau mawr, fe enillodd Prydain. Hwn oedd y tro cyntaf i Brydain gael buddugoliaeth bwysig ar yr Almaen ar dir, ac roedd yn drobwynt yn y rhyfel.

Ffrwydryn gwrth-danc Almaenig.

Synhwyrydd ffrwydrynnau Prydeinig

FFRWYDRYNNAU
Gosododd y ddwy ochr lwythi o ffrwydrynnau o gwmpas El Alamein. Collodd llawer eu bywydau wrth i danciau a milwyr fynd drostynt. Er i lawer o'r rhain gael eu difa yn ystod ac ar ôl y rhyfel, mae llawer yn dal yn yr anialwch o hyd.

CLUSTIAU'N GWYLIO

Ffurfiwyd yr Afrika Korps Almaenig yn 1941 i helpu'r Eidalwyr yng Ngogledd Affrica. Dyma un o'r milwyr yn gwylio'r gelyn drwy finociwlars "clustiau asyn". Er bod Rommel yn arweinydd gwych, dibynnai'r Korps ar y confois oedd yn cludo dynion a nwyddau dros y Môr Canoldir. Ymosodai Prydain ar y confois hynny.

YMOSOD AR SISILI

Dyma luoedd y Cynghreiriaid yn dod â cherbydau a nwyddau i'r lan ar ôl ymosod ar Sisili, Gorffennaf 1943. Golygai'r fuddugoliaeth yng Ngogledd Affrica y gallai'r Cynghreiriaid ymosod ar Ewrop, ond yn lle ymosod yn uniongyrchol ar luoedd cryf yr Almaen, fe benderfynon nhw anelu am yr Eidal, gan obeithio'i gorfodi i gefnu ar y rhyfel.

HELP Y GYMANWLAD

Gwisgai rhai o filwyr Seland Newydd, a charfanau arbennig, benwisgoedd Arabaidd i'w gwarchod rhag gwres Gogledd Affrica. Ymunodd milwyr Seland Newydd, gan gynnwys bataliwn o Maoris (y brodorion gwreiddiol) ag 8fed Fyddin Prydain, fu'n brwydro yng Ngogledd Affrica a'r Eidal.

Lliain i warchod rhag tywod a haul

LLYGOD MAWR AR Y BLAEN

Arweinydd 8fed Fyddin Prydain yng Ngogledd Affrica oedd y Cadlywydd Montgomery (1887–1976), uchod. Drwy gynllunio'n drwyadl a chalonogi'i filwyr, fe enillodd fuddugoliaeth yn El Alamein. Llysenw'r milwyr yn 7fed Adran Arfog ei fyddin oedd *Desert Rats*.

Roedd gan y tanc griw o chwech

Lliw melyn fel y tywod o'i gwmpas

TANC MONTY

Roedd gan Montgomery (uchod) ei danc ei hun, US Grant M3A3. Defnyddiodd y tanc i archwilio meysydd brwydr Gogledd Affrica, ac yna wrth ymosod ar Sisili a'r Eidal. Chwaraeodd tanciau tebyg ran bwysig yn y fuddugoliaeth ar Rommel.

Propaganda a chodi calon

ROEDD PROPAGANDA (gwybodaeth sy'n dylanwadu ar farn pobl) yn arf pwysig yn y rhyfel, achos roedd pob gwlad eisiau sicrhau ei phobl fod y rhyfel yn gyfiawn, ac mai nhw fyddai'n ennill. Roedd y ffin rhwng y gwir a phropaganda'n denau iawn. Ymdrechai'r ddwy ochr i ddylanwadu ar farn y bobl, er mwyn eu calonogi, yn sifiliaid a milwyr. Hefyd defnyddid propaganda i ddifetha ysbryd y gelyn. Weithiau roedd y propaganda'n amlwg, weithiau'n gyfrwys, ond fel dwedodd Josef Göbbels, gweinidog propaganda'r Almaen, "All llywodraeth dda ddim goroesi heb bropaganda da." Defnyddiwyd ffilmiau, radio, pamffledi a phosteri i geisio ennill y frwydr feddyliol, ac âi perfformwyr dros y byd i ganu i'r milwyr hiraethus.

HITLER, Y GWLADWEINYDD
Chwaraeodd propaganda ran bwysig yn llwyddiant Hitler, gan ei bortreadu fel arweinydd ysbrydoledig. Tynnid ei lun yn aml o flaen tyrfa o ddilynwyr edmygus, er mwyn dangos ei fod yn wleidydd mawr a fyddai'n gwneud ei bobl yn feistr'r byd.

RHOSYN TOKYO
Iva Toguri D'Aquino yw'r unig un o ddinasyddion UDA a gafwyd yn euog o frad, ac yna derbyn pardwn. Roedd hi yn Japan adeg Pearl Harbor. Allai hi ddim gadael, felly fe aeth i weithio ar sioe radio Japaneaidd. Roedd tua deuddeg o ferched yn darlledu yn Saesneg, a sawl un yn lledaenu propaganda yn erbyn UDA. Fe gawson nhw'r llysenw sarcastig "Tokyo Roses" gan filwyr UDA. Ar ôl y rhyfel carcharwyd Mrs D'Aquino am ddeg mlynedd. Cafodd bardwn gan yr Arlywydd Ford yn 1977.

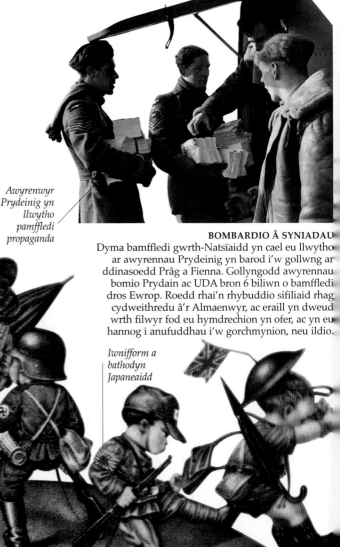

Awyrenwyr Prydeinig yn llwytho pamffledi propaganda

BOMBARDIO Â SYNIADAU
Dyma bamffledi gwrth-Natsïaidd yn cael eu llwytho ar awyrennau Prydeinig yn barod i'w gollwng ar ddinasoedd Prâg a Fienna. Gollyngodd awyrennau bomio Prydain ac UDA bron 6 biliwn o bamffledi dros Ewrop. Roedd rhai'n rhybuddio sifiliaid rhag cydweithredu â'r Almaenwyr, ac eraill yn dweud wrth filwyr fod eu hymdrechion yn ofer, ac yn eu hannog i anufuddhau i'w gorchmynion, neu ildio.

Cartŵn o filwr Prydeinig yn cario ambarél

Iwnifform a bathodyn Japaneaidd

CICIO PRYDEINWYR
Gwneud hwyl am ben Prydain yw pwrpas y cartŵn Eidalaidd hwn yn 1942. Roedd yr Eidal am wneud y Môr Canoldir yn "llyn Eidalaidd", a chicio'r Prydeinwyr o Ogledd Affrica. Yn y cartŵn mae'r Almaen yn eu cicio allan o Ewrop, a Japan yn eu cicio o Asia. Dangosir fod tair gwlad yr Axis yn cydweithio.

Band braich Almaenig

Baner drilliw Ffrainc

Jac yr Undeb

NERTH BRAICH
Roedd delweddau syml yn aml yn effeithiol iawn, fel y dengys y poster Americanaidd hwn yn 1943. Mae'n dangos pedair gwlad y Cynghrair yn rhwygo'r swastica Natsïaidd. Roedd atgoffa pawb fod y pedair gwlad gyda'i gilydd yn mynd i drechu'r Axis yn codi'r galon hyd yn oed yn nyddiau gwaetha'r rhyfel.

Baner UDA

Baner yr Undeb Sofietaidd

Morwyr o'r Iseldiroedd yn casglu llofnod Vera Lynn

NERTH Y SAMURAI
Mae'r poster yn dathlu grym yr Axis, ar ôl i Japan suddo *HMS Prince of Wales* a *HMS Repulse*, dwy long ryfel Brydeinig oedd yn amddiffyn Singapore, Rhagfyr 1941. Portreadir Japan fel ymladdwr samurai.

HELPU FFRIND
Y neges ar bamffled Chineaidd ddechrau 1945 yw, "Mae'r peilot hwn o America wedi'ch helpu i yrru'r Japaneaid o awyr China … ond bydd e a'i gydweithwyr Chineaidd angen eich help chi, os byddan nhw'n glaf, ar goll neu'n llwgu." Pwrpas y pamffled oedd dangos i'r Chineaid gwledig pwy oedd eu ffrindiau.

CANU I'R MILWYR
Roedd y gantores Brydeinig Vera Lynn, "cariad y lluoedd", yn un o nifer o berfformwyr fu'n canu i'r milwyr i godi eu calon. Caneuon mwyn, tyner oedd ffefrynnau'r cyfnod, gan eu bod yn tawelu nerfau ac yn sicrhau'r milwyr y bydden nhw gartre cyn bo hir.

Yr Holocost

O HOLL ERCHYLLTERAU'R RHYFEL, yr Holocost – ymgais y Natsïaid i ddifa Iddewon Ewrop – yw'r gwaethaf. Roedd y Natsïaid yn hollol wrth-Semitig (â rhagfarn yn erbyn Iddewon). Fe yrron nhw filoedd o Iddewon i wersylloedd crynhoi, lle bu llawer farw o effaith gorweithio. Gorfodwyd eraill i fyw mewn getos. Pan ymosodwyd ar yr Undeb Sofietaidd yn 1941, daeth miliynau o Iddewon eraill o dan reolaeth y Natsïaid. Cynlluniodd y Natsïaid yr "Ateb Terfynol" i'r "broblem Iddewig". Fe sefydlon nhw wersylloedd marwolaeth lle câi nifer enfawr o Iddewon eu lladd bob dydd. Does neb yn siŵr faint yn union yw'r rhif, ond amcangyfrifir bod dros 6 miliwn o Iddewon wedi'u llofruddio.

POSTER GWRTH-SEMITIG
Mae'r poster yn hysbysebu arddangosfa "Yr Iddew Bythol" ym Munich, yr Almaen, 1937. Dyna un ffordd o ledaenu syniadau gwrth-Semitig. Ar ôl dod i rym yn 1933, boicotiodd y Natsïaid fusnesau Iddewig. Yn 1935, pasiwyd Deddfau Nuremberg i atal Iddewon rhag bod yn ddinasyddion.

ARGRAFFIADAU CYNTAF
Wrth deithio ar y trên i'r gwersylloedd, credai llawer o'r Iddewon eu bod yn mynd i weithio yn Nwyrain Ewrop. Dywedwyd wrth rai ohonynt mai lle i gael cawod oedd y siambr nwy.

GETO WARSAW
Yn 1940, corlannwyd y 445,000 o Iddewon yn Warsaw, prifddinas Gwlad Pwyl, y tu ôl i furiau geto. Yna fe gaewyd y geto a'i selio. Roedd y lle'n afiach, a bu farw llawer o salwch a newyn. Yn Ebrill 1943, ymosododd tanciau ac awyrennau'r Natsïaid ar y geto er mwyn ei ddinistrio'n llwyr. Ymladdodd yr Iddewon yn ddewr, ond dim ond 100 ddihangodd.

Milwyr â gynnau'n casglu'r Iddewon yn y geto

SEREN FELEN
O 1942 ymlaen, roedd pob Iddew dan reolaeth y Natsïaid yn gorfod gwisgo seren felen, er mwyn i'r awdurdodau gael eu hadnabod – hyd yn oed yn y gwersylloedd.

GWERSYLLOEDD DIFA
Sefydlodd y Natsïaid wersylloedd crynhoi ar gyfer Iddewon, comiwnyddion, carcharorion gwleidyddol eraill, sipsiwn, hoywon, a phawb a ystyrient yn "annymunol". Gorfodwyd llawer i weithio mewn ffatrïoedd cyfagos. Yn 1942, adeiladwyd siambrau nwy mewn 8 gwersyll marwolaeth, gan gynnwys Auschwitz (isod) a Treblinka, Gwlad Pwyl. Y bwriad oedd lladd yr Iddewon yn gyflymach.

Gwersyll crynhoi Auschwitz, Gwlad Pwyl, a gedwir fel cofeb i'r Holocost

AMLOSGFEYDD

Cesglid dillad, gwallt, gemau, a dannedd aur oddi ar gyrff y carcharorion, cyn rhoi'r cyrff ar bentwr yn barod i'w hamlosgi. Cyd-garcharorion oedd yn rhedeg yr amlosgfeydd. Yn Auschwitz, fe wrthryfelodd rhai ohonynt a chwythu un amlosgfa i fyny.

Iddew o Hwngari a oroesodd Belsen

Stretsier a ddefnyddid i roi'r cyrff yn y ffwrn

BOWLEN
Dyma fowlen fwyd a ddefnyddid gan garcharor. Arferai'r tun gynnwys crisialau nwy syanid a laddodd filoedd yn y siambrau nwy.

YN Y GWERSYLL
Roedd amodau'n ddrwg iawn yn y gwersylloedd. Roedd bwyd yn brin, a'r carcharorion yn gorfod gweithio am 12 awr ar y tro, os oedden nhw'n ddigon cryf i weithio o gwbl. Roedd llawer o'r swyddogion yn mwynhau eu poenydio. Bu eraill, yn enwedig Dr Josef Mengele yn Auschwitz, yn cynnal arbrofion erchyll ar garcharorion byw a marw.

GWELD A DEALL
Aeth milwyr y Cynghreiriaid â'r Almaenwyr lleol i mewn i'r gwersylloedd, er mwyn iddyn nhw wynebu troseddau'r Natsïaid. Pan ryddhawyd y gwersylloedd gan filwyr yr Undeb Sofietaidd, UDA a Phrydain, brawychwyd pawb gan anfadwaith yr Holocost.

Gwylwyr SS a ddaliwyd yn Belsen

COSBI'R GWYLWYR
Roedd y sioc yn ormod i rai o filwyr y Cynghreiriaid. Pan aeth milwyr UDA i mewn i wersyll Dachau yn Ebrill 1945, fe saethon nhw 122 o'r gwylwyr Almaenig SS yn ddiymdroi. Gorfodwyd eraill i gladdu'r meirw. Arestiwyd rhai swyddogion a'u cyhuddo o droseddau yn erbyn dynoliaeth.

Ymosodiad D Day

CARDIAU PWYSIG
Wrth gynllunio'r ymosodiad, astudiodd y Cynghreiriaid gardiau post o arfordir Normandi. Hefyd astudiwyd mapiau, lluniau a dynnwyd o'r awyr a gwybodaeth gan ysbiwyr.

"Sword" oedd ffugenw un o draethau D Day

TRAETH Y CLEDDYF
Mae'r map manwl hwn o draeth "Sword" yn dangos y tirlun a'r problemau a wynebai'r milwyr wrth gerdded i'r lan. "Sword" oedd y traeth mwyaf dwyreiniol. Glaniodd lluoedd Canada a Phrydain yma, ac ar "Juno" a "Gold" gerllaw. Glaniodd lluoedd UDA ar "Omaha" ac "Utah" i'r gorllewin.

Yn gynnar ar fore 6 Mehefin 1944 (D Day), fe gychwynnodd yr ymosodiad morol mwyaf erioed ar draethau Normandi, Ffrainc. Bu'r Cynghreiriaid yn cynllunio'r ymosodiad hwn – Ymgyrch Overlord – yn fanwl ers blynyddoedd. Cludwyd dros 150,000 o filwyr o'r UDA, Prydain a Chanada ar draws y Sianel i sefydlu pum blaenlaniad (darnau o'r arfordir a gipiwyd o'r gelyn.) Bu bron i'r ymosodiad gael ei ganslo am fod y tywydd yn ddrwg, ond mentrodd Pencadlywydd y Cynghreiriaid, y Cadfridog Dwight D. Eisenhower (1890–1969) roi caniatâd. Roedd yr Almaenwyr yn disgwyl ymosodiad ymhellach i'r dwyrain, ac wedi paratoi amddiffynfeydd yno. Erbyn nos, roedd y blaenlaniadau yn ddiogel, ac o ystyried maint yr ymosodiad, roedd y colledion – 2,500 milwr – yn fach. Dyma ddechrau'r ymdrech i ryddhau Gorllewin Ewrop o ddwylo'r Almaenwyr.

O'R AWYR
Chwaraeodd parasiwtwyr ran bwysig yn yr ymosodiad. Yn gynnar ar fore D Day, disgynnodd awyrfilwyr UDA y tu ôl i "Utah" a chipio safleoedd hollbwysig. Glaniodd awyrfilwyr Prydain y tu ôl i "Sword", a dinistrio magnelfa (safle gwn) Almaenig.

YMOSODIAD "OMAHA"
Y lle anoddaf i lanio oedd "Omaha", o achos y clogwyni uchel a'r diffyg hewlydd. Roedd yn hawdd amddiffyn y traeth, ond yn anodd ymosod. Lladdwyd neu anafwyd o leiaf 3,000 o filwyr UDA, ond llwyddwyd i sefydlu blaenlaniad 3-km (2-filltir) o led erbyn nos.

HARBWR SYMUDOL

"Os na allwn ni gipio porthladd, rhaid i ni fynd ag un gyda ni," meddai un o swyddogion y llynges Brydeinig. Adeiladwyd dau harbwr arnofiol – y *Mulberries* – ym Mhrydain. Cafodd y platiau dur eu tynnu ar draws y Sianel a'u rhoi at ei gilydd ger traethau "Gold" ac "Omaha", i greu ffyrdd arnofiol.

BEIC MODUR SY'N PLYGU

Gollyngwyd beiciau modur plygadwy y tu ôl i linellau'r gelyn, ar gyfer y milwyr oedd yn disgyn o'r awyr. Gallai'r beic deithio am 144 km (90 milltir) a chyrraedd cyflymder o 48 km (30 milltir) yr awr.

Llyw sy'n dod yn rhydd

Mecanwaith i godi'r sedd

Injan betrol

Beic modur Prydeinig Welbike

Balwnau i amddiffyn rhag awyrennau

AR Y TRAETH

Dyma olygfa o draeth "Omaha" y diwrnod ar ôl y glanio. Roedd y pum traeth yn llawn o dryciau, tanciau a milwyr. Ar ôl glanio, brysiodd y milwyr cyntaf i ddiogelu'r traeth rhag y gelyn. Yna dadlwythwyd pentyrrau mawr o offer o'r llongau.

Bom mortar yn barod i danio

SYMUD YMLAEN

Ar ôl glanio, symudodd y milwyr yn eu blaen drwy Ffrainc gan wynebu saethwyr cudd, tanciau, ac amddiffynfeydd yn llechu rhwng cloddiau Normandi. Doedd dim posib mynd yn gyflym, ond erbyn diwedd Gorffennaf, roedd gan y Cynghreiriaid bron un filiwn o ddynion yn Ffrainc. Ymlaen â nhw tua Paris.

Rhyddhau Ewrop

CYMERODD AMSER HIR i ryddhau Ewrop o ddwylo'r Almaenwyr a'r Eidalwyr. Ar ôl brwydr Stalingrad, Tachwedd 1942, roedd y Fyddin Goch wedi gwthio'r Almaenwyr yn araf o'u gwlad. Serch hynny, chroeson nhw mo ffin Gwlad Pwyl tan Ionawr 1944, a bu brwydro yn y Balcanau tan 1945. Roedd ymdrechion y Cynghreiriaid i ryddhau'r Eidal o ddwylo'r Ffasgiaid yr un mor araf, a wnaethon nhw ddim dechrau rhyddhau Ffrainc tan Fehefin 1944. Fe arhosodd Denmarc, Norwy, a rhannau o'r Iseldiroedd ac Awstria dan reolaeth y Natsïaid nes i'r Almaen ildio'n derfynol ym Mai 1945. Yn Asia, dim ond y Philipinau, rhan helaeth o Burma, a rhai ynysoedd gafodd eu hailgipio oddi ar y Japaneaid cyn diwedd y rhyfel. Ym mhobman, roedd pobl yn ailddechrau byw, gan gyfrif cost y rhyfel ymysg adfeilion eu cartrefi.

Milwyr yn cropian dros adfeilion mynachlog Monte Cassino

RHYDDHAU PARIS
Arweiniodd y Cadfridog de Gaulle, pennaeth y Ffrancwyr Rhydd, orymdaith fuddugoliaethus ar hyd y Champs Elysées, Paris, ar 26 Awst 1944. Roedd Paris wedi bod yn nwylo'r Almaenwyr ers 14 Mehefin 1940. Ond ar 19 Awst 1944, gwrthryfelodd y Gwrthsafiad ac ymosododd y Ffrancwyr Rhydd ar y ddinas 6 diwrnod yn ddiweddarach. Ildiodd y cadlywydd Almaenig, y Cadfridog Choltitz.

CWYMP MONTE CASSINO
Awyrfilwyr yr Almaen yn brwydro'n erbyn milwyr y Cynghreiriaid ymysg adfeilion mynachlog Monte Cassino yn yr Eidal, 1944. Ar ôl i'r Cynghreiriaid ymosod a rhyddhau Sisili, Gorffennaf 1943, ildiodd yr Eidal. Ym mis Hydref, newidiodd ochr a chyhoeddi rhyfel ar yr Almaen. Dylifodd milwyr Almaenig i mewn i'r wlad a gorfodi'r Cynghreiriaid i ymladd o un pen yr Eidal i'r llall.

RHYDDHAU O DDWYLO'R FFASGIAID
Yn Ionawr 1945, aeth lluoedd y Cynghreiriaid i mewn i ogledd yr Eidal, lle cawson nhw help gan y partisaniaid. Roedd y partisaniaid yn brwydro i ddymchwel llywodraeth byped Mussolini, a gyrru'r Almaenwyr o'u gwlad. Fe ryddhaon nhw Milan a Turin, a dienyddio Mussolini yn Ebrill 1945.

Bagiau tywod i lyncu'r bwledi

Partisaniaid yr Eidal yn ymladd i ryddhau Milan

Eryr efydd

Shrapnel wedi rhwygo'r adain

ERYR HITLER
Arferai'r eryr mawr efydd hwn hongian yng nghartref swyddogol Hitler yn Berlin, y Reichganghellfa. Cipiwyd yr eryr gan y Sofietiaid, ac fe'i rhoddwyd gan un o swyddogion y Fyddin Goch i filwr Prydeinig yn Berlin, 1946. Mae creithiau'r frwydr olaf am Berlin yn dal ar ei adenydd.

Dwy wraig yn rhwygo arwydd oddi ar bencadlys y Natsïaid yn Troyes, Ffrainc

RHYDDID FFRAINC
Pan ryddhawyd Ffrainc, tynnwyd swasticas i lawr a chodi baner drilliw Ffrainc yn eu lle. Cychwynnodd yr ymdrech i ryddhau Ffrainc ar D Day (6 Mehefin 1944) a gorffen wrth i luoedd y Cynghreiriaid anelu am yr Almaen yn gynnar yn 1945. Sefydlodd y Ffrancwyr Rhydd, dan arweiniad y Cadfridog de Gaulle, lywodraeth dros dro i gymryd lle'r Almaenwyr.

CEFNU AR Y NATSÏAID
Wrth i'r Almaenwyr gael eu gyrru'n ôl i'w gwlad, dechreuodd y bobl leol gael gwared o olion y Natsïaid. Tynnwyd arwyddion Almaeneg a symbolau'r Natsïaid oddi ar adeiladau, wrth i'r bobl fynd ati i ailadeiladu gwledydd oedd wedi'u chwalu.

Emblem genedlaethol yr Almaen (*Hoheitsabzeichen*)

Swastica a thorch dail y dderwen

Milwr yn llusgo baner y Natsïaid ar ei ôl wedi i Ffrainc gael ei rhyddhau

CWYMP BERLIN
Ar 2 Mai 1945, deuddydd ar ôl i Hitler ladd ei hun, dringodd milwyr Sofietaidd ar do'r Reichstag (senedd yr Almaen) a chodi'r Faner Goch. Roedden nhw wedi brwydro'n galed am ddwy flynedd a hanner i wthio'r Almaenwyr o gatiau Stalingrad i gyrion Berlin, prifddinas yr Almaen.

Milwr Sofietaidd yn codi'r Faner Goch dros Berlin, prifddinas yr Almaen

Y bom atomig

ROEDD DAU WYDDONYDD ALMAENIG wedi darganfod y ffiseg fyddai'n arwain at y bom atomig mor bell yn ôl â 1938. Fe hollton nhw atom o wraniwm a sylweddoli y gallai hynny achosi adwaith nerthol dros ben. Ar ôl i UDA ymuno â'r rhyfel yn 1941, gweithiodd tîm rhyngwladol o wyddonwyr – llawer ohonynt wedi dianc o'r Almaen Natsïaidd – i droi'r darganfyddiad yn fom. Lleolwyd y gwaith, sef Prosiect Manhattan, yn Los Alamos, Mecsico Newydd, dan arweiniad y ffisegydd niwclear Robert Oppenheimer (1904–67). Erbyn Gorffennaf 1945, roedd y tîm wedi datblygu tri bom. Profwyd y cyntaf yn llwyddiannus yn anialwch Mecsico Newydd, 16 Gorffennaf 1945.

Potel wedi'i meddalu yn ffrwydrad Hiroshima

ENOLA GAY
Hedfanodd "Enola Gay", awyren fomio Superfortress UDA, yn gynnar ar fore 6 Awst 1945. Gollyngodd ei llwyth dros Hiroshima, Japan, am 8.15 yb cyn dychwelyd.

Injjanau pwerus propelor-dwbl yn galluogi'r B-29 i gario llwyth o fomiau dros bellter hir

Y LLADDWR BACH
Little Boy oedd llysenw'r bom wraniwm 235 a ollyngwyd ar Hiroshima. Roedd yn pwyso 4,082 kg (9,000 lb), a'i ffrwydrad 2,000 yn gryfach nag unrhyw fom blaenorol.

Little Boy: hyd – 3 m (10 tr), diamedr 71 cm (28 modfedd)

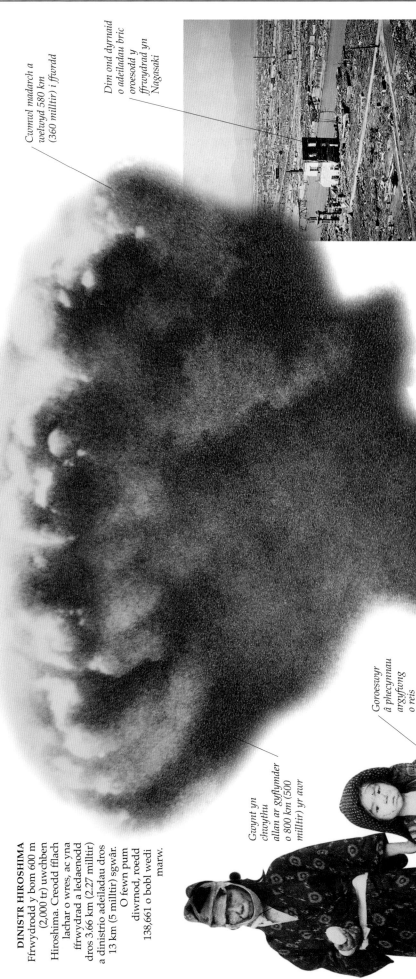

Camtal madarch a welwyd 580 km (360 milltir) i ffwrdd

Dim ond dyrnaid o adeiladau bric oroesodd y ffrwydrad yn Nagasaki

DINISTR HIROSHIMA
Ffrwydrodd y bom 600 m (2,000 tr) uwchben Hiroshima. Creodd fflach lachar o wres, ac yna ffrwydrad a ledaenodd dros 3.66 km (2.27 milltir) a dinistrio adeiladau dros 13 km (5 milltir) sgwâr. O fewn pum diwrnod, roedd 138,661 o bobl wedi marw.

Gwynt yn chwythu allan ar gyflymder o 800 km (500 milltir) yr awr

Goroeswyr â phecynnau argyfwng o reis

58

BOMIO NAGASAKI

Ar fore 9 Awst 1945, gollyngwyd y bom atomig olaf ar ddinas Nagasaki, yn ne Japan. Pwysai'r bom plwtoniwm "Fat Man" 4,536 kg (10,000 lb). Y bwriad oedd ei ollwng ar safle milwrol Kokura, ond gan fod y tywydd yn wael, penderfynwyd ar Nagasaki ar y funud olaf. Lladdwyd tua 73,884 o bobl, a dinistriwyd 51,000 o adeiladau yn rhannol neu'n gyfan gwbl.

Amgueddfa Gwyddoniaeth a Diwydiant yn dal i ddangos effaith dinistr Awst 1945

COFIO'R DINISTR

Er i Hiroshima a Nagasaki gael eu hailadeiladu ar ôl y rhyfel, mae yna ardal yng nghanol Hiroshima a gedwir fel cofeb i erchylltra'r bol atomig. Cynhaliwyd cynhadledd wrth-niwclear ryngwladol yn Hiroshima bob blwyddyn ers 1955.

Cwmwl yn codi i 10,000 m (33,000 tr)

"... awyr â fflach ysigol ... ac yna chwalodd fy myd."

UN O OROESWYR HIROSHIMA

AR ÔL Y BOM

Lladdwyd dros 200,000 o bobl Hiroshima a Nagasaki gan y bomiau. Dioddefodd llawer mwy o losgiadau dychrynllyd, a phroblemau eraill, gan gynnwys salwch ymbelydredd. Mae effeithiau tymor hir yr ymbelydredd, gan gynnwys cancr a lewcemia, ar y goroeswyr, ac ar eu plant yn y dyfodol, yn ei gwneud yn amhosib amcangyfrif faint yn union fu farw. Tebyg iawn bod tua 150,000 o bobl yn Hiroshima'n unig wedi marw o effaith ymbelydredd o fewn 5 mlynedd.

Carcharorion rhyfel Japaneaidd yn clywed bod eu gwlad wedi ildio

Tymheredd ar y llawr yn cyrraedd 5,000°C (9,000°F)

JAPAN YN ILDIO

Ar 9 Awst 1945 – y diwrnod y gollyngwyd y bom ar Nagasaki – ymosododd Rwsia ar y Japaneaid drwy oresgyn Manchuria. Y noson honno cyfarfu Prif Gyngor Rhyfel Japan â'r Ymerawdwr Hirohito, ond methwyd â dod i benderfyniad. Yna cymerodd Hirohito'r awenau ac, ar 14 Awst, cytunodd i ildio i'r Cynghreiriaid, os câi aros yn ymerawdwr. Drannoeth darlledodd Hirohito'r newyddion i bobl Japan – y tro cyntaf iddyn nhw glywed ei lais.

Buddugoliaeth

Newyddion tudalen flaen ym Mhrydain

ILDIODD LLUOEDD YR ALMAEN yn ddiamod am 2.41 ar fore 7 Mai 1945 mewn ysgoldy bach yn Rheims, Gogledd Ffrainc. Pedwar cynrychiolydd ar ran y Cynghreiriaid – Prydain, Ffrainc, UDA, a'r Undeb Sofietaidd – oedd y tystion. Ailadroddwyd y seremoni yn Berlin drannoeth, sef 8 Mai, Dydd Buddugoliaeth yn Ewrop (VE). Dri mis yn ddiweddarach, ar ôl i'r bomiau atomig ddisgyn ar Hiroshima a Nagasaki, ildiodd Japan ar 14 Awst. Ildiodd yn ffurfiol ar fwrdd USS Missouri ym Mae Tokyo ar 2 Medi 1945. Ar ôl chwe blynedd o ryfel, daeth heddwch i'r byd. Roedd gan y Cynghreiriaid gynlluniau manwl ar gyfer delio â'u cyn-elynion, ond am y tro roedd pawb yn dathlu.

"Mae'r dwyrain a'r gorllewin wedi uno. Dyna'r newyddion y buon ni'r Cynghreiriaid yn disgwyl amdano. Mae lluoedd rhyddid wedi dal dwylo."

SYLWEBYDD RADIO, UDA, 1945

TÂN GWYLLT YM MOSCOW
Dathlodd Moscow'r fuddugoliaeth dros y Natsïaid drwy gynnal sioe dân gwyllt anferthol a gorymdaith filwrol drwy'r Sgwâr Coch. Gollyngwyd baneri, ac eitemau eraill a gipiwyd oddi ar y Natsïaid, wrth draed arweinwyr buddugoliaethus yr Undeb Sofietaidd.

Sant Siôr yn lladd y ddraig

CROES SIÔR
Cyflwynodd George VI y groes hon, am y tro cyntaf yn 1940, i'r rhai oedd wedi dangos dewrder. Cyflwynwyd hi yn 1942 i bobl Malta, i anrhydeddu'u dioddefaint.

CROES DEWRDER
Câi milwyr Gwlad Pwyl, a oedd wedi dangos dewrder arbennig, y groes hon. Mae eryr Pwylaidd ar ganol y groes.

JAPAN YN ILDIO
Cafwyd rhagor o ddathliadau ar 15 Awst 1945, Dydd Buddugoliaeth yn Japan (VJ). Ond er bod Japan wedi ildio'n swyddogol, fe ddaliodd rhai o'i lluoedd i ymladd tan fis Medi, pan gafwyd heddwch o'r diwedd.

Papur newydd Indiaidd, Saesneg ei iaith

EFROG NEWYDD YN DATHLU
O'r diwedd, y diwrnod ar ôl i luoedd yr Almaen ildio'n ddiamod ar 7 Mai, roedd gan y byd reswm i ddathlu. Ar draws UDA, dylifodd y bobl i'r strydoedd a chynnal partïon. Yn Llundain, safodd y Prif Weinidog Winston Churchill a'r teulu brenhinol ar falconi Palas Buckingham, o flaen torf o filoedd. Cynhaliwyd dathliadau a phartïon stryd ym Mharis a dinasoedd Ewropeaidd eraill oedd newydd gael eu rhyddhau o afael y Natsïaid.

Rubanau papur yn ychwanegu at yr hwyl yn Wall Street, Efrog Newydd

Y canlyniadau

ROEDD TASG ENFAWR yn wynebu gwledydd y byd yn 1945. Roedd y ddwy ochr wedi dioddef colledion enfawr. Lladdwyd tua 55 miliwn o bobl, yn filwyr a sifiliaid. Y gwledydd a ddioddefodd fwyaf oedd yr Undeb Sofietaidd (dros 20 miliwn o farwolaethau), a Gwlad Pwyl a gollodd un rhan o bump o'i phoblogaeth. Bu farw chwe miliwn o Iddewon yn yr Holocost. Ar wahân i UDA, roedd pob gwlad fu'n ymladd wedi dioddef dinistr i'w dinasoedd, ei ffatrïoedd a'i ffermydd. Safodd arweinwyr yr Almaen a Japan eu prawf o flaen tribiwnlysoedd troseddau rhyfel, a chadwyd llawer o'u milwyr am gyfnodau hir mewn gwersylloedd carcharorion. Doedd UDA ddim yn wynebu'r un problemau ag Ewrop ac Asia. Yn y mannau hynny, roedd y gwaith ailadeiladu'n hir ac yn boenus, ond ym mhob gwlad roedd y bobl yn bendant nad oedden nhw am ailfyw erchylltra'r Ail Ryfel Byd fyth eto.

Y CENHEDLOEDD UNEDIG
Un o ganlyniadau mwyaf gwerthfawr yr Ail Ryfel Byd yw'r Cenhedloedd Unedig. Cyfarfu cynrychiolwyr 26 o wledydd, gan gynnwys UDA, yr Undeb Sofietaidd, Prydain a China, yn Washington DC ar 1 Ionawr 1942. Cytunodd pob un i beidio â chymodi â'r Axis (Eidal, Almaen, a Japan) heb gytundeb y lleill. Sefydlwyd mudiad Cenhedloedd Unedig parhaol fis Hydref 1945, â 51 aelod.

TAI *PREFAB*
Ym Mhrydain codwyd tai prefab (wedi'u hadeiladu'n barod), ar gyfer y miloedd oedd wedi colli'u cartrefi yn y bomio. Cyrhaeddai'r tai dur (alwminiwm yn ddiweddarach) ac asbestos ar ffurf cit, a chymerai ychydig ddyddiau i'w hadeiladu. Codwyd dros 150,000 prefab yn yr 1940au. Er mai tai dros dro oedden nhw, mae rhai'n dal i sefyll heddiw.

CLIRIO RWBEL
Ar draws yr Almaen, aeth pobl ati i dacluso'u trefi a'u dinasoedd, drwy wacáu adeiladau a fomiwyd, clirio rwbel o'r strydoedd a helpu i ailadeiladu. Roedd y gwaith yn galed ac annifyr. Yn aml roedd cyrff yn pydru yn selerau'r tai.

Darn o awyren ymladd Hess – Messerschmitt Me110

DISGYN I'R CARCHAR
Ar 10 Mai 1941, hedfanodd Rudolf Hess, dirprwy arweinydd y Blaid Natsïaidd, o'r Almaen i'r Alban. Chwalodd yr awyren wrth lanio, ac ildiodd Hess, gan honni mai ei fwriad oedd gofyn am heddwch. Yn dilyn treialon Nuremberg, carcharwyd Hess am oes, a bu farw yng ngharchar Spandau, Berlin, yn 1987. Does neb wedi datgelu'n union pam yr hedfanodd Hess i'r Alban.

TREIALON TROSEDDAU RHYFEL

Cyhuddwyd nifer o swyddogion Natsïaidd a Japaneaidd o droseddau rhyfel a'u gosod ar brawf. Yn Nuremberg, yr Almaen, 1945–46, trefnwyd prawf 22 o Natsïaid blaenllaw gan Dribiwnlys Milwrol Rhyngwladol o farnwyr o'r UDA, Ffrainc, yr Undeb Sofietaidd a Phrydain. Dedfrydwyd 12 o'r Natsïaid i farwolaeth. Yn Japan, dienyddiwyd y Cadfridog Tojo yn 1948. Cynhaliwyd treialon – fel y treial hwn o swyddogion gwersylloedd carcharorion y Natsïaid yn 1948 – dros gyfnod o sawl blwyddyn.

PARC HEDDWCH HIROSHMA

Saif y gofeb hon ym Mharc Heddwch Hiroshima. Mae'r parc yn ein hatgoffa o'r dinistr erchyll y gall arfau niwclear eu hachosi i bobl ym mhobman. Ers i'r ddau fom ddisgyn ar Japan, mae ymgyrchwyr heddwch ar draws y byd wedi protestio i sicrhau na chaiff arfau niwclear eu defnyddio fyth eto mewn rhyfel.

DOGNI'N PARHAU

Er bod y rhyfel ar ben, roedd nwyddau'n dal yn brin yn Ewrop. Doedd ffatrïoedd a ffermydd ddim yn cynhyrchu cymaint ag oedden nhw cynt. Rhoddwyd bara ar ddogn am y tro cyntaf ym Mhrydain yn 1946, ac roedd cig yn dal ar ddogn yn 1954.

Llyfr dogni
Gweinyddiaeth Fwyd
Prydain, 1949-50

AMERICA GYFOETHOG

Erbyn diwedd y rhyfel roedd UDA yn gryfach a chyfoethocach o lawer. Ar wahân i'w hynysoedd yn y Môr Tawel, chafodd y wlad mo'i bomio na'i goresgyn. Roedd gwaith i bawb a chyflogau'n codi. Gallai llawer o Americanwyr fforddio prynu tŷ newydd sbon yn y maestrefi, a char.

Wyddet ti?

PYTIAU O WYBODAETH

Lansiwyd 29 o danciau Sherman amffibaidd o longau'r Cynghreiriaid ar D Day (6 Mehefin 1944), ond dim ond 2 gyrhaeddodd y lan. Suddodd y lleill dan y tonnau gwyllt. Yn 2000, daethpwyd o hyd i lawer o'r tanciau ar wely'r môr.

Yn 1974 daeth Hiroo Onada, milwr Japaneaidd, allan o'r jyngl ar ynys Lubang yn y Môr Tawel. Roedd wedi cuddio yno ers 29 mlynedd, heb sylweddoli fod ei wlad wedi ildio.

Cynhyrchwyd dodrefn *utility* gan ddefnyddio cyn lleied o bren a deunyddiau prin â phosib – yn bennaf ar gyfer pobl newydd briodi a theuluoedd oedd wedi colli popeth mewn cyrch awyr.

Sefydlwyd yr elusen Oxfam yn 1942 i godi arian tuag at blant oedd yn dioddef o effeithiau'r rhyfel yng Ngwlad Groeg. Heddiw mae Oxfam yn codi arian i helpu pobl sy'n dioddef ledled y byd.

Yn 2003, darganfuwyd neges mewn potel ar draeth yn Sweden. Ffoadur o Estonia oedd wedi'i hanfon 60 mlynedd yn gynt o ynys Gotska Sandoen, 150 km (93 milltir) i ffwrdd. Cafodd tua 2,000 o ffoaduriaid o wledydd y Baltig loches yno yn ystod y rhyfel.

Pan nad oedd radio neu deleffon ar gael, byddai colomennod yn cludo negeseuon pwysig. Roedd gan fyddinoedd adrannau colomennod a llofftydd symudol ar gyfer yr adar.

Yn swyddogol mae Japan a'r Undeb Sofietaidd (Ffederasiwn Rwsia erbyn hyn) yn dal i ymladd. Ceisiwyd trefnu i'r ddwy wlad arwyddo cytundeb heddwch yn 2000, ond methiant fu hynny. Roedd Japan am i'r Undeb Sofietaidd ddychwelyd 4 ynys a gipiwyd ganddi ar ddiwedd y rhyfel.

Yn 1939, sylweddolodd y cemegydd Paul Müller o'r Swistir fod y cemegyn DDT yn lladd pryfed. Yn y rhyfel defnyddiwyd DDT i warchod y milwyr rhag afiechydon a achosid gan bryfed.

Y Dywysoges Elizabeth (ar y dde)

Yn ystod y rhyfel ymunodd y Dywysoges Elizabeth (y Frenhines Elizabeth II) â'r *Auxiliary Territorial Service*, a gyrru tryc.

Yn 1935, gofynnodd llywodraeth Prydain i'r peiriannydd Robert Watson-Watt ddatblygu "pelydr marwol" fyddai'n defnyddio tonnau radio i ddinistrio awyrennau'r gelyn. Ond defnyddio tonnau radio i ganfod awyrennau wnaeth Watson-Watt. "Radio detection and ranging" – sef, radar – oedd ei ddyfais.

Milwr Prydeinig yn dewis ei grys dimòb

Pan oedd milwr Prydeinig yn gadael y fyddin, câi set o ddillad bob dydd: siwt "ddimòb", côt law, crys, 2 goler crys, het, tei, 2 bâr o sanau, a phâr o esgidiau.

Achubodd pensilin, y "cyffur gwyrthiol", fywydau miliynau o filwyr. Fe'i cynhyrchwyd ar raddfa eang o 1942 ymlaen.

Defnyddiai'r ddwy ochr gŵn i gario negeseuon. Hefyd hyfforddodd UDA saith platŵn o gŵn rhyfel. Fe'u defnyddiwyd fel chwilwyr a gwylwyr yn y Môr Tawel.

Milwr Almaenig a'i gi-negesydd

Aelodau o Wasanaeth Colomennod Cludo yr 8fed Fyddin

Neges a gludwyd gan golomen

HOLI AC ATEB

Sean Connery yw 007 yn ffilm gyntaf Bond, *Dr No* (1962)

C Ar ba ysbïwr dwbl y seiliwyd James Bond?

A Dusko Popov (1912–1981), a aned yn Iwgoslafia, oedd yr ysbïwr dynnodd sylw'r awdur, Ian Fleming. Recriwtiwyd Popov yn haf 1940 gan Abwehr, gwasanaeth cudd-ymchwil yr Almaen. Ond roedd Popov yn wrth-Natsïaidd! Cyn hir roedd e'n ysbïo dros wasanaethau cudd-ymchwil Prydain, MI5 ac MI6, ac yn trosglwyddo gwybodaeth ffug i'w feistri yn yr Almaen. Siaradai Popov o leiaf bum iaith a dyfeisiodd ei inc anweledig ei hun. Fe oedd yr ysbïwr cyntaf i ddefnyddio microdotiau, sef lluniau wedi'u lleihau i faint dotiau. Yn 1941 aeth i weithio yn UDA. Clywodd Popov fod y Japaneaid yn mynd i ymosod ar Pearl Harbor, ond yn anffodus anwybyddodd yr FBI ei rybudd. Yn UDA, roedd Popov yn byw mewn fflat foethus, yn canlyn sêr y ffilmiau, ac yn dipyn o *playboy*. Ysgrifennodd hanes ei fywyd yn *Spy, Counterspy* (1974).

C Pa gysylltiad sy rhwng Magic â'r rhyfel?

A "Magic" oedd ffugenw'r cryptograffwyr Americanaidd oedd yn ceisio datrys peiriant seiffr Japan – y Peiriant Porffor – a ddyfeisiwyd gan Jinsaburo Ito yn 1939. Llwyddodd William Friedman i ddatrys y cod ym Medi 1940. Cyfrannodd tîm Magic i lwyddiant yr Americanwyr ym Mrwydr Midway yn y Môr Tawel.

C Beth oedd cod cyfrin môr-filwyr America?

A O 1942 ymlaen, cod cyfrin yr *US Marines* oedd yr iaith Navajo. Roedd hi'n iaith gymhleth, a, heblaw'r Navajo eu hunain, ychydig oedd yn ei deall. Doedd y Navajo erioed wedi gorfod defnyddio iaith filwrol, felly newidiwyd ystyr rhai geiriau. Er enghraifft, defnyddiwyd enw aderyn y *si – dah-he-ti-hi* – i ddynodi awyren fomio. Hyfforddwyd tua 400 o Indiaid Navajo – y Siaradwyr Cod – i ddefnyddio'r cod. Methodd y Japaneaid ei ddatrys.

C Pwy oedd y cyntaf i ddefnyddio awyrfilwyr (*paratroopers*)?

A Y Sofietiaid oedd y cyntaf i arddangos eu harwyrfilwyr yn 1935. Buon nhw'n helpu'r Almaen i hyfforddi awyrfilwyr hefyd. Doedd gan y Cynghreiriaid ddim awyrfilwyr tan 1940, pan agorwyd y *Central Landing School* ger Manceinion. Daeth milwyr o bob un o wledydd y Cynghreiriaid yno i gael hyfforddiant, ac o fewn 6 mis, roedd bron 500 yn barod i ymladd.

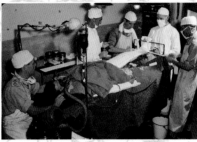

Milwr yn cael trallwysiad gwaed mewn gorsaf drin clwyfau

C Pa ddarganfyddiad meddygol achubodd fwyaf o filwyr?

A Y darganfyddiad pwysicaf oedd y trallwysiad gwaed. Roedd y meddyg Awstrio-Americanaidd, Karl Landsteiner, wedi adnabod 4 grŵp gwaed yn 1901, ond roedd angen ymchwil pellach. Yr Ail Ryfel Byd oedd y rhyfel mawr cyntaf lle'r achubwyd llawer o fywydau drwy drallwyso gwaed.

C Pa awyrennau oedd yn dangos dannedd?

A Peintiodd y Llu Awyr Prydeinig ddanedd siarc ar eu Curtiss Kittyhawks yn yr Anialwch Gorllewinol, Gogledd Affrica. Gwnâi'r dannedd i'r peilotiaid deimlo'n gryf a hyderus. Addasiad o'r P-40 Warhawk Americanaidd oedd y Kittyhawk. Gallai gyrraedd cyflymder o 552 km (343 milltir) yr awr, a chario un bom 227-kg (500-lb). Roedd ganddi 6 gwn peiriant 12.7-mm (0.5 modfedd).

Awyrfilwr yn ymarfer

Kittyhawks Sgwadron Rhif 112, Llu Awyr Prydeinig, 1943

Ail Ryfel Byd: llinell amser

YMLADDWYD YR AIL RYFEL BYD ar sawl ffrynt gwahanol. O ganlyniad, gall fod yn anodd cael darlun clir o'r hyn oedd yn digwydd o flwyddyn i flwyddyn. Mae'r rhestr hon yn tynnu sylw at rai o'r digwyddiadau pwysig, ond yn anffodus does dim lle i restru pob carreg filltir.

Milwyr Almaenig yn gorymdeithio i mewn i Wlad Pwyl, 1939

1939

1 MEDI
Yr Almaen yn goresgyn Gwlad Pwyl.

3 MEDI
Prydain a Ffrainc yn cyhoeddi rhyfel ar yr Almaen.

27 MEDI
Warsaw, prifddinas Gwlad Pwyl, yn ildio i'r Almaen.

28 MEDI
Yr Almaen a'r Undeb Sofietaidd yn rhannu Gwlad Pwyl rhyngddyn nhw.

30 TACHWEDD
Yr Undeb Sofietaidd yn goresgyn y Ffindir.

1940

EBRILL-MAI
Yr Almaen yn goresgyn Denmarc, Norwy, yr Iseldiroedd, Gwlad Belg, Luxembourg a Ffrainc.

26 MAI – 4 MEHEFIN
Ymgyrch Dynamo yn achub dros 338,000 o filwyr y Cynghreiriaid o Dunkirk, Ffrainc.

10 MEHEFIN
Yr Eidal yn cyhoeddi rhyfel ar Brydain a Ffrainc.

14 MEHEFIN
Lluoedd yr Almaen yn cyrraedd Paris, Ffrainc.

21 MEHEFIN
Ffrainc yn ildio, a'r Almaen yn rheoli gogledd Ffrainc.

10 GORFFENNAF
Brwydr Prydain yn cychwyn.

7 MEDI
Awyrennau bomio'r Almaen yn cychwyn Blitz yn erbyn dinasoedd Prydain.

12 MEDI
Yr Eidal yn goresgyn yr Aifft.

27 MEDI
Yr Almaen, yr Eidal a Japan yn arwyddo'r Cytundeb Tridarn.

12 HYDREF
Brwydr Prydain yn dod i ben.

Japan yn ymosod ar Pearl Harbor, 1941

1941

22 IONAWR
Lluoedd Prydain ac Awstralia'n cipio Tobruk, Libya.

1 MAWRTH
Bwlgaria'n ymuno â'r Axis.

5 EBRILL
Yr Almaen yn goresgyn Iwgoslafia a Groeg.

27 MAI
Prydain yn suddo'r *Bismarck*.

22 MEHEFIN
Ymgyrch Barbarossa: yr Almaen yn goresgyn yr Undeb Sofietaidd.

15 MEDI
Gwarchae Leningrad yn cychwyn: lluoedd yr Almaen a'r Ffindir yn amgylchynu'r ddinas Sofietaidd.

7 RHAGFYR
Japan yn ymosod ar lynges UDA yn Pearl Harbor ac yn dechrau ymosod ar Malaya.

8 RHAGFYR
Prydain ac UDA yn cyhoeddi rhyfel ar Japan.

11 RHAGFYR
Yr Almaen yn cyhoeddi rhyfel ar UDA.

25 RHAGFYR
Hong Kong yn ildio i Japan.

Llythrennau adnabod

Hawker Hurricane a ddefnyddiwyd gan y Llu Awyr Prydeinig ym Mrwydr Prydain, 1940

Symbol targed ar yr adain

Pibellau mwg y tu ôl i'r propelor

Yr Almaenwyr yng Ngogledd Affrica, 1942

1942

15 CHWEFROR
Y Japaneaid yn cipio Singapore.

MAWRTH
Lladd y carcharorion cyntaf yn siambrau nwy Auschwitz, Gwlad Pwyl.

28 EBRILL – 8 MAI
UDA yn atal y Japaneaid ym Mrwydr y Môr Cwrel.

4–6 MEHEFIN
UDA yn trechu'r Japaneaid ym Mrwydr Midway.

19 AWST
Cychwyn y frwydr am ddinas Sofietaidd Stalingrad.

23 HYDREF – 4 TACHWEDD
Prydain yn trechu'r Almaen yn El Alamein, Gogledd Affrica.

8 TACHWEDD
Lluoedd Prydain ac UDA yn glanio yng ngogledd-orllewin Affrica.

1943

31 IONAWR
Trechu byddin yr Almaen yn Stalingrad.

8 CHWEFROR
UDA yn cipio Guadalcanal, un o Ynysoedd Solomon, oddi ar Japan.

19 EBRILL
Milwyr Natsïaidd yn ymosod ar geto Warsaw, Gwlad Pwyl.

12 MAI
Byddin yr Almaen yng Ngogledd Affrica'n ildio.

9 GORFFENNAF
Lluoedd y Cynghreiriaid yn goresgyn Sisili, yr Eidal.

25 GORFFENNAF
Disodli'r unben Benito Mussolini yn yr Eidal.

3 MEDI
Lluoedd y Cynghreiriaid yn ymosod ar dir mawr yr Eidal. Yr Eidal yn ildio.

13 HYDREF
Yr Eidal yn cyhoeddi rhyfel ar yr Almaen.

1944

27 IONAWR
Yn yr Undeb Sofietaidd, daw Gwarchae Leningrad i ben ar ôl dwy flynedd a thri mis.

8 MAWRTH
Japan yn ceisio goresgyn India.

6 MEHEFIN
D Day: lluoedd y Cynghreiriaid yn glanio yn Normandi, Ffrainc ac yn symud yn eu blaen.

Benito Mussolini

25 AWST
Y Cynghreiriaid yn rhyddhau Paris, Ffrainc.

17 HYDREF
Lluoedd UDA yn glanio yn y Philipinau.

1945

7 MAWRTH
Lluoedd Prydain ac UDA yn croesi Afon Rhein, yr Almaen.

30 EBRILL
Adolf Hitler, Canghellor yr Almaen, yn lladd ei hun.

7 MAI
Yr Almaen yn ildio'n ddiamod.

8 MAI
Dydd Buddugoliaeth yn Ewrop (VE).

6 AWST
UDA yn gollwng bom atomig "Little Boy" ar ddinas Hiroshima, Japan.

9 AWST
UDA yn gollwng bom atomig "Fat Man" ar ddinas Nagasaki, Japan.

15 AWST
Dydd Buddugoliaeth yn Japan (VJ), ar ôl i Japan ildio.

24 HYDREF
Sefydlu'r Cenhedloedd Unedig yn barhaol.

Lluoedd UDA yn y Philipinau, 1944

Rhagor o wybodaeth

MAE'N BOSIB CAEL GWYBODAETH uniongyrchol am y rhyfel. Gofynnwch i aelodau hŷn y teulu a hoffen nhw rannu'u hatgofion. Mae adroddiadau personol ar y we ac mewn llyfrau arbenigol. Yn ogystal â chasgliadau gwych, mae gan nifer o amgueddfeydd rhyfel arddangosfeydd rhyngweithiol sy'n dod â'r hanes yn fyw. Hefyd fe welwch ffilmiau ar raglenni dogfen. Yn ogystal, mae yna lawer o ffilmiau sinema sy'n ymdrin â phob math o brofiadau – criwio llong danfor, er enghraifft, neu ddianc o wersyll carcharorion.

STAFELLOEDD RHYFEL Y CABINET
Yn Llundain gallwch ymweld â Stafelloedd Rhyfel y Cabinet, lle roedd y Prif Weinidog, Churchill, a'i Gabinet Rhyfel yn cwrdd o 1940 ymlaen. Mae'r stafelloedd mewn seler ac yn edrych yn union fel roedden nhw adeg y rhyfel.

COFEB YM MURMANSK
Mae gan bob gwlad fu'n ymladd gofebau i'r meirw. Saif y cerflun concrit enfawr hwn uwchlaw porthladd Murmansk, Rwsia. "Alyosha" yw enw'r milwr ac mae'n cynrychioli holl arwyr rhyfel y wlad.

DATHLU D DAY
Nid dathliadau ar gyfer cyn-filwyr yn unig yw dathliadau D Day (6 Mehefin), er enghraifft. Mae pob dathliad o'r fath yn rhoi cyfle i bawb ohonon ni feddwl a darganfod mwy am hanes ein gwlad.

AMGUEDDFEYDD RHYFEL
Mae casgliadau'r Ail Ryfel Byd mewn amgueddfeydd yn dal i dyfu, wrth i fwy o eitemau ddod i'r golwg. Er enghraifft, mae casgliad yr *Imperial War Museum*, Llundain, wedi ymestyn erbyn hyn i'r *Imperial War Museum North* ym Manceinion.

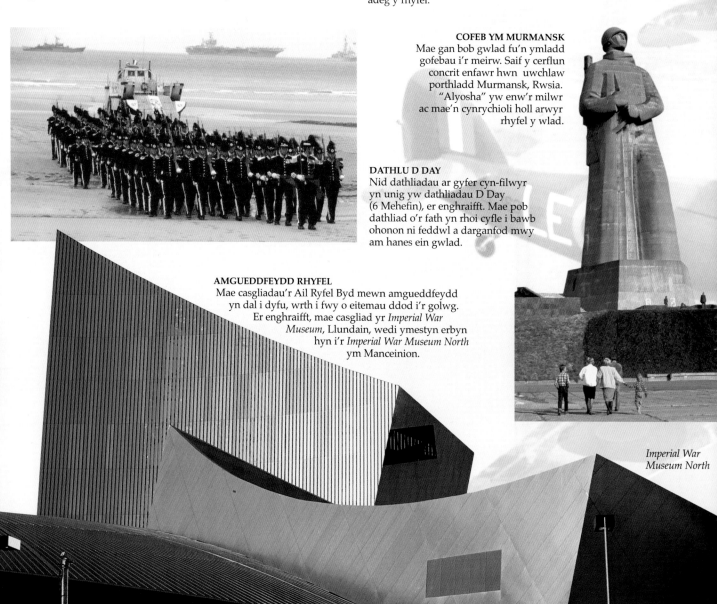

Imperial War Museum North

FFILMIAU RHYFEL

Mae cyfarwyddwyr ffilmiau wedi darlunio erchylltra'r rhyfel, a hefyd storïau ysbrydoledig am ddewrder unigolion. Mae ffilm Spielberg *Schindler's List* (1993) yn adrodd y stori wir am ddyn busnes Almaenig, Oskar Schindler, a achubodd fywydau cannoedd o Iddewon drwy eu cyflogi yn ei ffatri.

Poster y ffilm *Schindler's List*

Mae'r menorah yn symbol pwysig o Iddewiaeth

COFEB YR HOLOCOST

Codwyd sawl cofeb i anrhydeddu'r rhai fu farw yng ngwersylloedd marwolaeth y Natsïaid. Mae'r gofeb hon ym Mauthausen, Awstria – lle lladdwyd tua 125,000 o bobl – ar ffurf *menorah* ("canhwyllbren" yn yr Hebraeg).

GWRTHSAFWYR FFRAINC

Mae'r ffilm, *The Train* (1964), yn adrodd un o hanesion mwyaf trawiadol y Gwrthsafiad. Ynddi mae Burt Lancaster yn actio rhan gweithiwr rheilffordd Ffrengig, o'r enw Labiche, yn ceisio difetha trên Natsïaidd sy'n smyglo gweithiau celf o Baris, cyn i'r Cynghreiriaid ryddhau'r ddinas.

Lleoedd o ddiddordeb

HMS BELFAST, LLUNDAIN
- Criwser y Llynges Brydeinig gymerodd ran yn y rhyfel. Mae nawr yn amgueddfa.

IMPERIAL WAR MUSEUM, LLUNDAIN
- Galeri Ail Ryfel Byd, ag arfau, iwnifformau, posteri a mwy
- "Blitz Experience" â golygfeydd, synau ac arogleuon
- Arddangosfa barhaol yr Holocost

AMGUEDDFA BAE ABERTAWE / SWANSEA BAY MUSEUM
www.1940sswanseabay.co.uk

AMGUEDDFA ABERTAWE
www.swanseamuseum.co.uk/swansea-a-brief-history/world-war-two

HOME FRONT MUSEUM, LLANDUDNO
www.homefrontmuseum.co.uk

AMGUEDDFA BARRY AT WAR
http://barryatwar.info/the-second-world-war-2/

AMGUEDDFA PORTHCAWL
www.culture24.org.uk/wa000041

AMGUEDDFA STORI CAERDYDD
www.cardiffmuseum.com

LE MÉMORIAL DE CAEN, FFRAINC
- Arddangosfeydd rhyngweithiol a ffilmiau o'r archif
- Ymweliadau cyswllt â thraethau D Day

MUSÉE DE L'ARMÉE, PARIS, FFRAINC
- Galerïau cynhwysfawr Ail Ryfel Byd
- Model o'r glaniad yn Normandi 1944

THE TANK MUSEUM, BOVINGTON, LLOEGR
- Bron i 300 o danciau o dros 26 gwlad, gan gynnwys

Cyfieithiad Saesneg o'r geiriau Ffrangeg uwchben

GWEFANNAU DEFNYDDIOL

- Eitemau o ddiddordeb Cymreig yn Llyfrgell Genedlaethol Cymru, Aberystwyth
http://addysg.llgc.org.uk/index.php?id=4878&L=1

- Safle amlgyfryngol gydag adran yn canolbwyntio ar brofiadau plant **www.bbc.co.uk/history/worldwars/wwtwo/**

- Adnodd amlgyfryngol am yr Holocost, yn cynnwys adroddiadau personol, ffotograffau, a fideos **www.holocausthistory.net**

COFEB TRAETH OMAHA

Dyma un o nifer o gofebau yn Normandi, Ffrainc, sy'n nodi dewrder arwyr D Day. Arni mae'r geiriau: "Lluoedd y Cynghreiriaid yn glanio ar y traeth hwn a lysenwyd Omaha ac yn rhyddhau Ewrop – Mehefin 6ed 1944".

Geirfa

AMFFIBAIDD Yn gallu symud ar ddŵr a thir.

ANFADWAITH Gweithred tu hwnt o greulon.

AWYRFILWR (*paratrooper*) Milwr sy'n disgyn ar barasiwt.

AXIS Yr enw a roddwyd ar gynghrair yr Almaen, yr Eidal a'u cynghreiriaid.

BALŴN AMDDIFFYN Balŵn oedd yn sownd wrth y ddaear. Roedd cadwyni'n hongian oddi tano i rwystro awyrennau isel.

BOM ATOMIG Arf pwerus sy'n achosi dinistr erchyll. Holltiad niwclear – sef hollti atom o elfen ymbelydrol fel wraniwm neu blwtoniwm – sy'n creu'r ynni.

BOM MORTAR Bom trwm, sy'n cael ei danio o danc fel arfer.

Awyrenwyr Almaenig yn paratoi gwregysau bwledi

BYNCER Lloches danddaearol rhag bomiau.

CADOEDIAD Gorffen rhyfela.

CENEDLAETHOLWR Un sy'n credu mewn cenedlaetholdeb – sef pwysigrwydd ei wlad ei hun.

COD MORSE Cod lle cynrychiolir pob llythyren gan nifer o ddotiau a dashiau, neu fflachiadau neu synau byr neu hir.

COMIWNYDD Cefnogwr Comiwnyddiaeth – sy'n gwrthwynebu'r farchnad agored ac yn anelu at greu cymdeithas ddiddosbarth.

CONFOI Grŵp o longau masnach yn teithio gyda'i gilydd, a'r llynges yn eu gwarchod.

CRYPTOGRAFFEG Astudio a chreu codau dirgel.

CRYPTOGRAFFYDD Un sy'n astudio, creu neu ddatrys codau.

CUDDLIW Lliwiau a phatrymau sy'n toddi i'r cefndir.

CUDD-YMCHWIL Gwybodaeth ddefnyddiol i'r lluoedd arfog neu'r llywodraeth, neu'r ysbiwyr sy'n ei chasglu.

CYNGHRAIR Grŵp o gynghreiriaid sy wedi cytuno i gydweithio. Mae gwledydd Cynghreiriol yn aml yn datgan eu bwriadau mewn cytundeb swyddogol.

CYNORTHWYOL Rhywun neu rywbeth sy'n cynnig help, neu wrth gefn.

CYRCH AWYR Bomio o'r awyr.

DEMOCRATAIDD Yn seiliedig ar egwyddorion democratiaeth, lle mae'r bobl yn ethol llywodraeth sy'n eu cynrychioli.

DIMOBIO Rhyddhau milwyr o'r fyddin ar ddiwedd y rhyfel.

DOGNI Cyfyngu ar nwyddau – bwyd a dillad, er enghraifft – pan fydd pethau'n brin.

FACIWÎ Rhywun sy'n cael ei symud o fan peryglus.

FFASGYDD Cefnogwr ffasgaeth – cred sy'n gwrthwynebu democratiaeth ac yn ffafrio gwlad gref ac arfog.

FFOADUR Un sy'n cael ei orfodi i adael ei wlad a mynd i le diogel.

FFRWYDYN 1) Bom sy'n gorwedd ar y ddaear ac yn ffrwydro pan fydd rhywun yn cerdded neu'n gyrru drosto. 2) Bom sy'n arnofio neu'n hanner arnofio yn y môr ac yn dinistrio llongau a llongau tanfor.

Gurkha'n defnyddio dail i guddio'i iwnifform yn y jyngl ym Malaya

GESTAPO Gwasanaeth heddlu dirgel y Natsïaid.

GETO (Ghetto) Ardal o ddinas lle caiff aelodau o'r un genedl eu caethiwo.

GORESGYN Meddiannu tir y gelyn.

GRENÂD Bom bach a deflir â llaw.

GWERSYLL CRYNHOI Lle i garcharu sifiliaid. Yn y gwersylloedd Natsïaidd, carcharwyd Iddewon, pobl o Ddwyrain Ewrop, sipsiwn, hoywon a phobl eraill a ystyrid yn elynion y wlad.

GWN GWRTH-AWYREN Gwn all danio'n bell a gwneud niwed i awyrennau'r gelyn sy'n ymosod.

Teleffon maes

GWN PEIRIANT Gwn awtomatig sy'n tanio cyfres o fwledi'n gyflym.

GWRTHSAFIAD Mudiad yn gwrthwynebu'r gelyn oedd wedi meddiannu'u gwlad. Yn enwedig grwpiau Ewropeaidd oedd yn brwydro yn y dirgel yn erbyn y Natsïaid.

GWRTH-SEMITIG Yn credu mewn anffafrio neu erlid Iddewon.

HOLOCOST Llofruddiaeth miliynau o Iddewon ac eraill gan y Natsïaid yn ystod yr Ail Ryfel Byd.

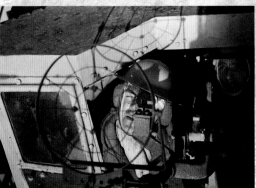

Chwilio am darged i'r gwn gwrth-awyren

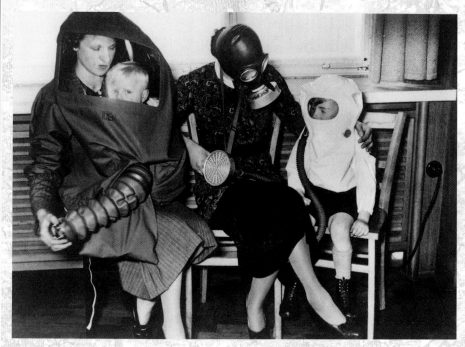

Gwahanol fathau o fygydau nwy Almaenig, 1939

ILDIO Trosglwyddo rheolaeth i rywun arall.

LLOCHES CYRCH AWYR Lle oedd yn gwarchod pobl rhag bomiau yn ystod cyrch awyr – byncer tanddaearol, er enghraifft.

MERCH Y TIR Gwraig ifanc oedd yn helpu'r wlad adeg rhyfel, fel arfer drwy weithio ar ffermydd i gynhyrchu bwyd. Hefyd bu merched yn cynhyrchu adnoddau pwysig eraill, o ddeunyddiau crai – pren, er enghraifft – i arfau a pharasiwtiau.

MWGWD NWY Offer anadlu oedd yn cuddio'r trwyn, y geg a'r llygaid ac yn gwarchod rhag nwy.

Merched yn gweithio mewn melin lif

NWY Yng nghyd-destun rhyfel, nwy gwenwynig sy'n tagu, dallu neu ladd y gelyn. Er bod gan bob ochr gyflenwadau, ni ddefnyddiwyd nwy'n fwriadol yn ystod yr Ail Ryfel Byd.

PARTISAN Aelod o'r gwrthsafiad sy'n gweithredu ar diroedd dan reolaeth y gelyn.

PENISILIN Gwrthfiotig, sy'n deillio o lwydni, ac yn atal bacteria rhag tyfu. Darganfu Alexander Fleming ei fod yn lladd bacteria yn 1928. Erbyn 1942, câi penisilin ei gynhyrchu ar raddfa eang a'i ddefnyddio i drin milwyr â chlwyfau heintus.

PROPAGANDA Gwybodaeth sy'n gwthio rhyw safbwynt arbennig. Gall fod yn boster, darllediad, neu bamffled a ollyngir o'r awyr, er enghraifft.

RADAR System sy'n defnyddio tonnau radio i ddarganfod lleoliad pethau – awyren, er enghraifft. Mae'r tonnau'n sboncio oddi ar yr awyren. Ystyr radar yw *"radio detection and ranging"*.

SEIFFR Cod dirgel sy'n defnyddio peiriant i gyfnewid llythrennau a symbolau.

SIAMBR NWY Lle caeëdig lle lladdwyd pobl â nwy.

SIEL Ffrwydryn sy'n cael ei danio, er enghraifft, o wn mawr.

SWASTICA Hen symbol o groes, a'r coesau wedi'u plygu ar ongl. Mabwysiadwyd gan y Natsïaid.

TELEFFON MAES Teleffon milwrol y gellir ei gario.

TORPIDO Taflegryn sy'n gyrru'i hun drwy'r dŵr. Caiff ei danio gan gwch neu long danfor.

TRALLWYSIAD GWAED Chwistrellu gwaed, a roddwyd gan wirfoddolwr, i wythiennau claf.

UNBEN Llywodraethwr sy'n rheoli gwlad heb ofyn barn y bobl.

UTILITY Gair i ddisgrifio dillad, nwyddau tŷ, neu ddodrefn a gynhyrchwyd ym Mhrydain yn ystod y rhyfel dan y Cynllun *Utility*. Y bwriad oedd osgoi gwastraff deunyddiau crai ac ynni.

Alexander Fleming a phensilin mewn llestr petri

WLTIMATWM Y cais olaf. Fel arfer os na chytunir â'r cais, bydd canlyniadau difrifol, a diwedd ar gyfathrebu.

YMERODROL Yn gysylltiedig ag ymerodraeth neu ymerawdwr.

YSBRYD Cryfder bwriad, hyder, neu ffydd.

Mynegai

Cydnabyddiaethau

Dymuna Dorling Kindersley ddiolch i:
Terry Charman, Mark Seaman, Mark Pindelski, Elizabeth Bowers, Neil Young, Christopher Dowling, Nigel Steel, Mike Hibberd, Alan Jeffreys, Paul Cornish, a thîm archif ffotograffiaeth yr Imperial War Museum am eu cymorth; Sheila Collins & Simon Holland am y cymorth golygyddol a dylunio; Samantha Nunn, Marie Osborne, & Amanda Russell am yr ymchwil lluniau ychwanegol; Chris Bernstein am y mynegai.

Yn achos yr argraffiad hwn, dymuna'r cyhoeddwyr gwreiddiol ddiolch i: yr awdur am gynorthwyo â'r newidiadau; Claire Bowers, David Ekholm-JAlbum, Sunita Gahir, Joanne Little, Nigel Ritchie, Susan St Louis, & Bulent Yusuf am y clipart; David Ball, Neville Graham, Rose Horridge, Joanne Little, & Susan Nicholson am y siart; BCP, Marianne Petrou, & Owen Peyton Jones am wirio'r ffeiliau digidol.

Diolch hefyd i'r isod am eu caniatâd caredig i atgynhyrchu'r ffotograffau canlynol:
g=gwaelod, c=canol, ch= chwith, d=de, t=top; u=uchaf

Advertising Archives: 51gc, 63cchg. **Airbourne Forces Museum, Aldershot:** 32–33. **AKG London:** 45cdu, 51t; German Press Corps 13tch. **The Art Archive:** 30cd. **Camera Press:** 7gd; Imperial War Museum 53td. **Charles Fraser Smith:** 26cdu. **Corbis:** 33td, 40c, 59gd, 66tl; Bettmann 54–55g, 61, 64–65, 66cdu, 67td; Owen Franken 69gd; Hulton Deutsch Collections 20cch, 31td, 53tc, 62c; Richard Klune 68g; Carmen Redondo 52-53; David Samuel Robbins 63d; Michael St Maur Sheil 69cu; Sygma/Orban Thierry 68cch; Yogi, Inc 68cd. **D Day Museum, Portsmouth:** 54cchu. **Eden Camp Modern History Theme Museum, Malton:** 22cch, 29td, 36gch, 60gch, 62cd, 63cch. **HK Melton:** 16c, 17cchu, 17c, 26gch, 26gd, 28cdg, 31tch, 31cch. **Hoover Institution:** Walter Leschander 28cg. **Hulton Archive/Getty Images:** 8cch, 8cch, l0cch, 14cd, 16tt, 17tch, 23tch, 26cdg, 38g, 39cch, 39gd

43tc, 56g, 57c, 57gd; © AFF/AFS, Amsterdam, Yr Iseldiroedd 37td; Alexander Ustinov 60cch; Fox Photos 20gch, 66cg, 68–69; Keystone 12tc, 14g, 15tch, 25tc; Keystone Features 28cu, 29g; Reg Speller 36gd; US Army Signal Corps Photograph 53cd. **Imperial War Museum:** Dorling Kindersley Picture Library 16gd, 26cch, 26c, 26cd, 37tch, 45cd, 70cd; IWM Photograph Archive 11cd (ZZZ9182C), 21cd (HU1185), 21td (HL5181), 22td (HU635), 23td (CH1277), 24cch (B5501), 34cd (TR1253), 34gch (D18056), 35gch (IND1492), 40gd (IND3468), 41cd (C4989), 44t (RUS2109), 48cch (E14582), 50cd (C494), 56c (BU1292), 56cd (6352), 64td (TR1581), 64c (H41668), 64gch (TR2572), 64gd (STT39), 65td (TR2410), 65cd (TR50), 65g (TR975), 67tch (STT853), 67gd (NYF40310), 70td (FE250), 70cch (MH5559), 70gc (TR330), 71tch (HU39759), 71cd (TR1468), 71gch (TR910). **Kobal Collection:** Amblin/ Universal 69tch; United Artists 65tch, 69cch; Universal 48cdu. **Mary Evans Picture Library:** 9gd. **M.O.D** Michael Jenner Photography: 61. **Pattern Room, Nottingham:** 47g. **National Cryptological Museum:** 31cd. **National Maritime Museum, London:** 42–43c. **Novosti:** 46cd, 46gch, 47tch, 47cch; 45t. **Oesterreichische Nationalbibliothek:** 9tch. Peter

Newark's Pictures: 6cd, 8tch, lltd, 12–13t, 13g, 15cdu, 17gch, 18c, 19gc, 19gd, 22c, 25cch, 26cch, 31gd, 32cchg, 34td, 35gd, 36tch, 37g, 41g, 47td, 50g, 51gch, 52gch, 55cd, 58td, 58–59; Yevgnei Khaldei 57gc. **Popperfoto:** 17cdu, 29cd, 34gd, 35tch. **Public Record Office Picture Library:** 26cchu, 30cdg. **Robert Harding Picture Library:** 59td. **Robert Hunt Library:** 22–23g. **Ronald Grant Archive:** British Lion Films 12g. **Royal Air Force Museum, Hendon:** 26cchu.**Royal Signals Museum, Blandford Camp:** 55td.**Topham Picturepoint:** 9cch, 29cch, 41cchu, 43cdg, 48td, 49tch, 49td, 50cch, 51gd, 52td, 52c, 53gd, 63tch; Press Association 41td; Universal Pictorial Press 68td.**Trh Pictures:** 24gch, 32td, 37tc, 38c, 55tch, 55c; Imperial War Museum 33tc; Leszek Erenfeicht 8–9; National Archives 24–25b, 39t; United Nations 58gd; US NA 54td; US National Archives 42cchg. **Weimar Archive:** 9cd.

Siart:

Corbis: cchg (Pearl Harbor)

Delweddau eraill © Dorling Kindersley.
Gwybodaeth bellach:
www.dkimages.com